挑発する少女小説

斎藤美奈子
Saito Minako

河出新書
033

はじめに——少女小説って何ですか？

少女小説は現実に即したリアリズム文学

子どもの頃、少女が活躍する物語に夢中になったことがないでしょうか。『若草物語』とか『赤毛のアン』とか『あしながおじさん』とかの類いです。

こうした物語の多くは一九世紀後半から二〇世紀前半に書かれ、作者も多くは女性でした。いずれも世界中で大ヒットし、日本では戦後、二〇世紀の後半に多くの読者を獲得します。日本の読者の多くも少女、すなわち小中学生の女子でした。

このような作品を本書では「少女小説」と呼ぶことにします。

子どもが最初に親しむ物語が超自然的な力に支配されたファンタジー（おとぎ話）だとしたら、その次に出会うのが、子どもを主役にした児童文学です。この世にはサンタクロースも魔法使いもいないんだ、と知る頃に出会う本ともいえます。

本書で扱う少女小説も、現実の社会に生きる一〇歳未満、ないし一〇代の少女が主人公のリアリズム小説です。したがって『不思議の国のアリス』も『オズの魔法使い』も『モモ』も、主人公は少女ですが、ここでは取り上げません。

少女小説は良妻賢母教育のツールだった!?

少女小説は、広い意味での児童文学に含まれますが、文学史的には「家庭小説」と呼ばれるジャンルに属します。家庭小説は、家庭を主な活動の場とし、将来的にも家庭人となることを期待された少女のためのジャンルとして発展しました。

一九世紀は社会の工業化とともに生産労働の場と家庭生活の場が分離し、「男は仕事／女は家庭」という性別役割分業社会が成立した時代です（こういう家族の形態を近代家族といいます）。教育の内容もジェンダーによって区別され、男の子向けの冒険小説や学校小説が書かれる一方、女の子向けの家庭小説が生まれます。

家庭小説（少女小説）とはつまり、宗教教育や家政教育を含めて、よき家庭婦人を育てるための良妻賢母の製造装置だったわけです。それが戦後の日本で人気を博した背景には、GHQの民主化政策が関係していたようです。つまるところ、これらは欧米型の望ましい家庭生活を女子に学ばせるツールだった。

だとすると、要するに私たちは大人の陰謀に乗せられたのでしょうか。

まあ、そういうことです。図書館に置く本を選ぶのも、子どもに本を買い与えるのも、結局は大人ですから、子どもたちはまんまと「してやられた」ことになる。

少女小説は読者が選んだロングセラー

とはいえ、大人の陰謀にも限界があります。読者である子どもたち自身がおもしろいと思わなければ、それらは生き残れません。その点、本書で取り上げた九冊はいずれもロングセラーであり、二一世紀の現在も愛されつづけています。

二〇一六年に女性誌「CREA」(二月号)が行ったアンケート調査(「少年少女文学好き500人が選んだ『好きな作品ベスト50』」)では、一位が『赤毛のアン』(一一六票)、二位が『若草物語』(九三票)、三位が『小公女』(九〇票)でした。ベスト10圏内にはほかに、『ハイジ』と『大草原の小さな家』シリーズがランクインしており、本書で扱った九冊すべてがベスト二五位以内に入っています。

これらの作品は翻訳の種類も多く、日本国内だけでも、幼年向けの絵本やダイジェスト版から、作品世界に親しむためのガイドブックや写真集、作品に登場する料理や手芸に関する本、論文集や研究書まで、多くの関連書籍が出版されています。また、すべての作品が、映画、舞台、テレビドラマ、アニメーションなどの原作になっており、映画やアニメのヒットとともに新しい読者を獲得してきました。

もともとは大人の陰謀だったとしても、これらは読者である子どもたち自身が自らの手で選び、読み継いできた作品といえます。逆にいうと、読者の支持を得られなかった作品はとっくに忘れ去られ、読者に選ばれた作品だけがおそらく生き残ったのです。

人気があるのは翻訳ものの少女小説

いうまでもないことですが、少女小説と呼ばれるジャンルの作品は日本でも書かれてきました。もっとも有名なのは昭和戦前期に一世を風靡《ふうび》した吉屋信子の作品群でしょう。戦後の日本にも『女学生の友』などの雑誌から生まれた六〇年代のジュニア小説、八〇年代に人気を博したコバルト文庫など、数々の少女小説のレーベルが存在しました。二〇〇〇年代に女子中高生の間で爆発的にヒットしたケータイ小説も、いま思えば少女小説の一種だったかもしれません。ですが、国産の少女小説は時代に影響される傾向が強く、翻訳少女小説ほどのロングセラーにはなりえていません。

それなのになぜ、欧米発の翻訳ものは長く生き残ったのか。

最大の理由はやはり、戦後の女子にフィットする要素、いいかえれば時代や文化の隔たりを超えて、少女に訴えかける普遍性を備えていたことでしょう。

もうひとつの理由は、物語に描かれた風俗（ファッションや食べ物や住宅や乗り物や行事など）が海外のものだったため、古さがあまりバレずにすんだ、ということが考えられます。着ている服がどんなに古めかしくても、主人公が馬車で移動していても、ヨーロッパやアメリカが舞台なら、どのみち遠い異国のお話なので、さほど違和感を感じない。場合によっては逆にオシャレに見えたりする。

昭和の子どもたちにとって、ヨーロッパやアメリカは憧れの対象でした。よきにつけ悪しきにつけ、日本の子どもたちは少女小説で海外の風物を学んだのです。

少女小説を特徴づける四つのお約束ごと

というわけで、こうした翻訳少女小説をあらためて読み直してみたのが本書です。はたしてこれらは、いまも読む価値があるのか。あるとしたらポイントはどこなのか。

本論に先立って物語の内容に少しだけ踏みこんでおきます。例外はありますが、人気の高い翻訳少女小説には、いくつかの共通した特徴が見つかります。

①主人公はみな「おてんば」な少女である。

これはきわめて重要な特徴です。良妻賢母教育のツールだったはずなのに、いざふたを開けてみたら、「女の子らしい女の子」「わきまえた子」はいなかった。初期の少女マンガの主人公はなべて「スカートを穿いた少年」だったという説をどこかで読んだ記憶がありますが、少女小説の主人公もそれに近いものがあります。

いいかえると、彼女たちは「女はかくあるべし」というジェンダー規範を大なり小なり逸脱していますし、もっといえば規格外の子が多い。だからこそこれらは世界中でヒットし、今日まで生き残ったのだ、といってもいいでしょう。

そこに見え隠れするのは作者と読者の共犯関係です。表向きは穏健な家庭小説のふりをしながら、作者は読者に「型にハマるな」「あきらめるな」という信号をひそかに送っていたのではないか。大人社会の陰謀に「してやられた」ように見えながら、じつは少女小説の側が大人社会を「だしぬいていた」かもしれないのです。

②主人公の多くは「みなしご」である。

少女小説に限らず、児童文学の主人公には両親と死別した孤児が少なくありません。そもそも「みなしご」という言葉自体、私たちは幼い頃に読んだお話で知ったのではなかったでしょうか。『トム・ソーヤーの冒険』も『ハックルベリー・フィンの冒険』も、そして『ハリーポッター』シリーズも、主人公は「みなしご」でした。本書で取り上げた作品も、九作中六作までが両親を失った孤児の物語です。

なぜ孤児が多いのか。一九世紀は戦争や移民政策や貧困や疫病が原因で、実際にも父や母を、あるいは両親を失った子どもが急増した時代でした。しかし作劇上の都合からいうと、親がいると子どもの自由な行動が妨げられるからです。とりわけ少女の場合、「女の子らしさ」を要求し、娘を家の中に閉じ込めたがる親は障害でしかない。親を失った子どもは自力で人生を切り開かなくてはいけません。そこにドラマが生まれるのです。

③友情（同性愛）が恋愛（異性愛）を凌駕する世界である。

主人公が「おてんば」であるかわりに、物語にはしばしば、親友あるいは姉妹として、主人公とは正反対の、女子のジェンダー規範に沿った「女の子らしい女の子」が登場します。彼女は美しく、聡明で、誰にでも愛されるような子ですが、主人公の個性をきわだたせるため召還された引き立て役ともいえる。ね、ほら、女の子らしい女の子なんてつまんないでしょ、と作者は強調したがっているようです。

それでも主人公は、凡庸な「女の子らしい女の子」である親友や姉妹に憧れ、彼女をまるで恋人のように愛しています。少女小説にも少年が登場するケースはありますが、少女小説においては少女の地位が相対的に高く、たとえ少年が登場しても、恋愛対象とは見なされません。恋愛はご法度。重要なのはシスターフッド。少女小説は恋愛よりも友情を、異性愛より同性同士の関係を重んじる世界なのです。

④少女期からの「卒業」が仕込まれている。

少女小説の多くは少女の成長の物語といえます。さまざまな経験を経て、主人公はときには悩み、ときには挫折しながら成長していきます。

ということは、彼女にもいつか少女期から卒業しなければならない日が来ます。物語の結末に少女期からの離脱が含まれている作品もあれば、将来をぼんやりと暗示するだけで終わる作品も、読者の強い要望で続編が書かれた作品もあります。いずれにしても彼女がどうやって少女期を卒業するかは大きな注目ポイントです。

概していえるのは、「おてんば」という主人公の個性が、多くの場合、成長とともに失われていくことです。結果、少女小説はしばしば「保守的」な結末を迎えます。そのことに憤慨する読者は少なくありません。しかし作品が書かれた時代を思えば、それも道理。もともと少女小説は良妻賢母教育のツールだったのです。現代のフェミニズムの観点から見て「保守的」なのは当たり前でしょう。

別言すると「保守的」な結末が用意されているからこそ、これらは長年愛されてきたのだとも考えられます。たとえどれほどハメを外しても、バカをやっても、あたしの将来は約束されている。あたしはちゃんとした大人の女性になれるし、社会には自分の居場所がある。そう思えばこそ、読者は安心して物語の世界に浸れたのです。

ですので「保守的」な結末にとやかく文句をつけてもはじまらないのですが、いちおう断っておくと、一見「保守的」に見える結末にも裏には意外な事情が隠されている可能性があります。また読者には「誤読する権利」がありますから、作者の意図と関係なく、自分に都合よく物語を読みかえることもできます。少女小説が国境も時代も超えて愛されてきたのは、多様な読み方ができるテキストだったからこそでしょう。

テキストの選定にあたっては、複数の翻訳を読み比べ、普及度、入手しやすさ、時代背景に相応しい文章の格調などを加味して、各作品一冊に絞りました。また、作者や登場人物の名前の表記は、引用したテキストの表記に従いました。

大人になって読む少女小説は、子どもの頃には気づかなかった発見に満ちています。かつて少女小説に親しんだ方も、そうでない方も、この機に少女小説の魅力を思い出して（知って）いただければ、筆者としてそれ以上の喜びはありません。

目次

1

魔法使いと決別すること

バーネット『小公女』

A Little Princess

1905

フランシス・ホジソン・バーネット（一八四九〜一九二四）

イギリス・マンチェスターの富裕な商人の家に生まれる。四歳で父を失い、家族とともにアメリカに移住。家計を助けるために作家活動をはじめる。もともとは大人向けの小説の書き手だったが、次男をモデルにした児童文学『小公子』（一八八六年）と『小公女』（一九〇五年）で成功をおさめ、『秘密の花園』（一九一一年）で名声を不動のものにした。

★『福音館古典童話シリーズ41　小公女』高楼方子訳、福音館書店、二〇一一年

（作品からの引用は、★の文献によりました。以下同様です。）

おとぎ話に片足をつっこんだ物語

『小公女』の原題は『A Little Princess』。直訳すれば「小さなお姫さま」です。作者のバーネットはイギリスの生まれですが、家族とともに一六歳でアメリカに移住。一八八六年、次男をモデルにした『小公子』（原題は『小フォントルロイ卿』）が米英両国でベストセラーとなり、いちやく人気作家になりました。

『小公女』が出版されたのは一九〇五年。原型は『セーラ・クルー、またはミンチン学院で何が起きたか』のタイトルで出版された短編でした（一八八七年）。これを舞台化の際に改題、十数年後に大幅な改稿のうえで出版されたのが『小公女』です。

日本では若松賤子《しずこ》（『小公子』の翻訳で知られています）が改稿前の作品を『セーラ、クルー物語』として一八九三年に訳しはじめていますが、賤子の死で未完に終わり、藤井白雲子《はくうんし》による『小公女』（一九一〇年）が本邦初訳。『小公女』というタイトルは、若松賤子の『小公子』にならったものと想像されます。

他の少女小説にくらべると『小公女』はやや古めかしい感じのする物語です。タイトルで「お姫さま」をうたっているのも、劇的すぎる物語の展開も、『シンデレラ』とか『白雪姫』とかのおとぎ話を連想させます。実際、お姫さま然とした少女が主人公である点で『小公女』はおとぎ話に片足をつっこんだ物語ともいえましょう。

ただ、おとぎ話と大きく異なるのは、物語の舞台が寄宿学校である点です。

イギリスで初等教育の制度が整ったのは一八七〇年、義務教育がスタートしたのは一八八〇年でした。物語の舞台はおそらくそれ以前、作者の少女時代と重なる一八〇〇年代の中頃と考えられます。よって、主人公が入学した寄宿学校はエミリー・ブロンテが『ジェイン・エア』(一八四七年)などで描いたのと同じ、学校といっても個人経営の私塾みたいなものでした。とはいえ、女子にも教育を、というのはあきらかに近代の発想です。「近代のお姫さま物語」とは、さて、どんな内容なのでしょう。

娘に甘いバカな父親

物語は、暗い冬の日のロンドンからはじまります。どんよりとした霧が立ちこめる中、〈いっぷう変わった雰囲気の少女〉が父親と辻馬車に乗っている。

この少女が主人公のセーラ・クルー、当年とって七歳です。この子はイギリスの植民地であるインドで生まれたのです。母はフランス人ですが、娘が生まれてすぐに亡くなり、セーラは父と二人、召使いが大勢いる豪邸で暮らしてきました。

植民地育ちの子は大英帝国の正しい紳士淑女に仕立てるべく、一定の年齢になると本国の学校に入れられるケースが多く、セーラがロンドンに来たのも寄宿学校に入るためでした。ですが、物語が〈暗い冬の日〉の陰鬱な場面からはじまるように、彼女は親元を離れて学校に入ることを望んでいません。インド育ちの彼女にとっては、気候も風土も異なるイギリスこそが「異国」ですし、父親とも離れたくはない。

で、その父親ですが、この人はなかなかに問題のあるやつです。

「クルー大尉」と呼ばれているように、彼はインドに駐留する英国の軍人です。と同時に、親の資産を受け継いだのか副業に励んだのか、大金持ちです。しかも娘に死ぬほど甘い。〈セーラがほめたものは何でも買ってあげたいし、自分が気に入ったものもまた何でも持たせたい〉とかいっちゃって、七歳の娘の入学準備のためにロンドンの店でお買い求めになったのは、〈高価な毛皮の飾りがついたベルベットのドレス、レース地のドレス、刺繡をほどこしたドレス、柔らかで大きな駝鳥の羽根を飾った帽子、白テンのコートとマフ、小さな手袋やハンカチや絹の靴下が何箱も……〉。

貴族の嫁入り道具じゃあるまいし、完全にどうかしています。セーラが入学した寄宿学校の校長・ミンチン先生は後にセーラの荷物をどう思うかと問われ「馬鹿じゃなかろうかと思ってるわ」と答えていますが、けだし至言というべきでしょう。

可愛げない大人びた女の子

では、当のセーラはどんな子だったか。

少女小説の主人公はみな「おてんば」である、と巻頭で申し上げましたが、この子の場合は「可愛げのない子」「女の子らしくない子」といったほうがいい。

第一にこの子は天才的な頭脳の持ち主です。七歳児とは思えないほど語学の才に長《た》けています。英語はもちろん、フランス語もドイツ語もお手のもの。しかも本の虫。父のクルー大尉によれば、大人向けの分厚い本を欲しがるそうで、歴史、伝記、詩、何でもかんでも読みまくる。七歳児といえば小学一〜二年生。ふつうなら読み書きがやっとできるかどうかの歳でしょうに、可愛げがないったりゃありゃしない。

第二にセーラは七歳児とは思えないほど分別くさい子です。父が「小さな奥さま」と呼んでいるくらいで、異様に大人びて、ものおじしないところがある。これは育った環境が関係しているかもしれません。大勢の召使いにかしずかれて育ったセーラには「大人のいいつけに従う」という習慣がありませんし、クルー家には女主人がいませんので、「小さな奥さま」然とふるまうことが自然と身についたように思われます。

第三に彼女はたいへんな正義感の持ち主です。だれかがいやな目にあっているのを見ると、その場に飛びこんでいきたくなる。〈もしセーラが男で、それも何世紀か前に生まれていたら、抜き身の剣を手に、国じゅう飛び回っていたでしょうね〉と父のクルー大尉は自慢げにいいます。〈難儀している人を助けたり守ったりしながらね。あの子は困ってる人を見ると、戦いたくなるたちなんですよ〉

誰に対してもものおじせず、知識欲が旺盛で、不正義を放置できず、剣を手に戦いたくなる。これはお姫さまというよりは騎士、男の子に求められる資質です。本国から離れた土地で育ったこと、女性のロールモデルである母を早くに失ったことで、女子のジェンダー規範から、おそらく彼女は自由だった。クルー大尉に褒めるべき点があるとしたら、そんな娘の「男らしい」資質を抑圧しなかったことでしょう。

並外れた空想力と鈍感力

さらにつけ加えておくと、セーラは度を越した空想好きです。ロンドンで父に買ってもらった人形のエミリーを彼女は親友と思っている。そこだけは「女の子らしい」感じがしますが、この「親友」を手に入れるために父娘がロンドン中を駆けまわり、人形に洋服まであつらえたことを考えると、やはりどうかしています。

あなたが寄宿学校の校長で、こんな子が貴族の嫁入り道具みたいな荷物をしょって入学してきたらどうでしょう。私だったらぜったい嫌ですね。嫌ですが、父親は大金持ちなので無下《むげ》にもできない。

かくてクルー大尉は、娘が望むものは何でも与えてやってくれといい残してインドに発ちます。寄付金もはずんだのでしょう。セーラは「特別寄宿生」として学校に迎えられます。彼女に与えられたのは、専用の居間のついたベッドルーム、ポニーと馬車、インドで身の回りの世話をしていた乳母に代わるメイド……。

そんな転校生が入ってきたら、ほかの生徒がどう思うか。嫌われるに決まっているじゃないの！　というふうに、この父と娘は考えません。いささか浮世離れしたセーラ。この子にとっては可愛げのなさに加えて「鈍感力」が意外な武器なのです。

権力争いが渦巻く寄宿学校

で、寄宿学校です。セーラが入学した「セレクト女子寄宿学園」は最初に申し上げたように、個人経営の私塾みたいなものでした。ここでは幼稚園児にあたる四歳児から、中学三生にあたる一五歳までの少女が共同生活をしています。

女子の寄宿学校とは、まあ「プチ大奥」みたいなもんです。

当然そこには権力争いがある。最高権力者として君臨するのは経営と教育を一手に握っている校長のミンチン先生です。彼女はセーラをもともと煙たがっていましたが、初日のフランス語の授業でセーラが流暢なフランス語をあやつったため〈亡き母はフランス人ですからセーラはほとんどバイリンガルです〉、フランス語をがんばりなさいと説教した彼女の面目は丸つぶれ。それでますますセーラが嫌いになりました。

生徒も生徒で、セーラは好奇の的となり、とりわけセーラが来るまで学園のリーダーだったラビニアは嫉妬の炎を燃やします。〈フランス語ができるからって、利口なわけでもなんでもないわよ〉〈あの子のお父さんにしたって、インドの将校なんか、偉くもなんともないわよ〉〈いつも馬鹿っぽいことやってんのよね、あの子ったら〉

セーラ、学園のスターになる

ミンチン先生やラビニアは物語の中では悪役ですが、読者の気持ちを代弁しているところもある。しかしセーラは天才児ですし、鈍感ですので、周囲の雑音を気にしません。そのかわり彼女が目をつけたのは学園内の弱者でした。

アーメンガードは劣等生で、フランス語が苦手。教室でいつも笑われています。セーラはそれに腹を立て、フランス語の勉強を手伝ってあげると約束します。

ロッティーはまだ四歳ですが、母を亡くしており、何かというと「だって、ママがいないんだも～んっ！」と泣きわめいて世渡りしてきた問題児です。セーラは自分にもママはいないのだと話し、「私がママになるわ」と約束して信頼を勝ちえます。

こうして彼女は学園内の弱者たちの心をつかみ、人気者にのし上がっていきます。空想好きのセーラの武器は、お話を創作して語る能力でした。妖精や貴婦人や人魚のお話を。本で学んだ文学的な教養なしに妖精や貴婦人や人魚のお話はつくれません。芸は身を助くというべきでしょう。無類の読書好きだったことが、彼女をスターにしたのでした。

「姫」というあだ名がついたワケ

そして二年がたちました。九歳になったセーラはひとりの不遇な少女を発見します。重い石炭箱を運び、暖炉に火を入れながら、おずおずとセーラのお話に聞き耳を立てている少女を。名前はベッキー。学園に雇われている「洗い場女中」でした。

その日セーラが部屋に戻ると、ベッキーが安楽椅子で眠りこんでいた。〈あちし、そんな、つもりじゃゃ、なかったんです、おじょうさま〉。あわてるベッキーをセーラは怖がらなくていいのよとなだめ、ケーキをすすめて、毎日仕事が終わったらここで会おうと誘います。そしたら、お話を最後までしてあげるから、と。

あいかわらずの鼻持ちならないお嬢ではありません。弱者にやさしい正義の味方みたいな顔をしていますが、いつでもだれに対しても「上から目線」で接してしまう。

「プリンセス」というあだ名がついたのも、そのせいでした。〈あの子、今、王女のつもりなんだって。で、ずっとそうしてるんだって〉とラビニアはいいます。〈あの子なら、乞食になったって王女のつもりでいるかもね〉〈そうだ、あの子のこと、『王女様』って呼ぶことにしましょうよ〉。『小公女（リトル・プリンセス）』というタイトルは皮肉をこめて級友がつけたあだ名に由来するのです。意地悪なニュアンスをくみとれば「姫」でしょうね。

セーラが「姫」になりたかったワケ

問題はしかし、なぜセーラがそんなバカな想像をしているのかです。〈もしも私が王女様だったら〉と彼女は考えます。〈国じゅうの人に、惜しみなしに贈物ができるんだわ〉〈そう、さっきみたいなこと。あの子、まるで王女様から贈物をいただいたみたいに、幸せそうだったじゃない〉

ふつうの子どもが考えるプリンセスは、豪華な宮殿に住み、美しいドレスに身を包み、舞踏会で王子さまと踊る人です。しかしセーラが考えるプリンセスは「贈り物ができる人」、もっといえば「与える人」「ほどこしをする人」だった。ここには従来のおとぎ話が流布してきたお姫さま（プリンセス）からの大きな価値観の転換があります。

とはいえセーラが「あの子」と見下げた感じで呼ぶベッキーは一四歳。セーラの五歳年上です。「おじょうさま、おじょうさま」とへりくだるベッキーに対しては「私たちはお友達よ。セーラって呼んで」くらいのことをいってやってもいいのにね。

このように『小公女』の序盤では、セーラの高飛車オーラが炸裂しています。さすがは「姫」です。こういう子は少し挫折を味わったほうがいいのです。

階級の問題と植民地問題

今日的な観点で『小公女』を読むとき、避けて通れない問題があります。

ひとつは階級の問題です。生まれたときからお嬢さまだったセーラと、学園で奴隷同然にこき使われているベッキー。二人の階級の差は歴然としています。

もうひとつは植民地支配の問題です。イギリスはインドと長年友好的な関係を保ってきましたが、ヴィクトリア朝時代に半官半民の東インド会社を廃止し、インドを直轄地としました（インドが独立したのは一九四七年。第二次世界大戦後です）。

クルー大尉はもともと資産家でしたが、セーラの学園在学中にダイヤモンド鉱山を掘り当て、学園中がこのニュースでわき返ります。彼の巨万の富はしかし、植民地支配の上に築かれたものであり、セーラの幸運な人生も植民地収奪の上にある。

そういうことにもセーラは鈍感です。インドで父と暮らしていたときも、彼女を「ミッシー・サヒーブ（お嬢さま）」と呼んでかしずいてくれるおおぜいの召使いや乳母は、現地採用のインド人だったはずですが、セーラは気にもしていなかったでしょう。

セーラ、突然みなしごになる

しかし、そんな彼女にもついに大きな試練が訪れます。

少女小説には「みなしご」の物語が多いという話を巻頭でしましたが、『小公女』の特徴は、主人公が「みなしご」になる瞬間が描かれていることです。

それは彼女の一一歳の誕生日でした。盛大な誕生パーティーの最中に、インドにいる父のクルー大尉がマラリアで急死したこと、しかもダイヤモンド鉱山の事業に失敗し、無一文になっていたことが知らされます。しかし、プリンセスのように毅然とした態度でいようと誓っていたセーラは騒ぎも泣きもしなかった。

〈気取った態度をとるのはやめなさい〉とミンチン先生は命じます。〈そういう時代はもう終わったのです。あなたはもう王女じゃないの〉。馬車とポニーはよそにやる。メイドには暇をとらせる。これからはいちばん古くて地味な服を着ること。〈あなたはベッキーと同じなの。食いぶちのために働いてもらわないことにはね〉

クルー大尉のバカバカしいまでの金持ちぶりも、娘に対する気持ち悪いほどの甘やかし方も、そしてセーラの鼻持ちならなさも、すべてこの瞬間のために用意された仕掛けだった。物語はここから俄然おもしろくなるのです。

セーラ、屋根裏部屋に追いやられる

『小公女』の中盤は、過酷な環境に置かれたセーラの試練の物語です。

この部分はセーラにとってのイニシエーションとして機能しているといえましょう。

イニシエーションとは象徴的な意味での「死と再生」、子どもから大人になるための通過儀礼を意味しますが、それはしばしば過酷な体験を含みます。おとぎ話の中でも、白雪姫が継母に城を追い出されて森をさまよったり、眠り姫が糸車の錘《つむ》で指を刺して眠り込んだりするのは、イニシエーションの一種といえます。

しかし、セーラの体験は、おとぎ話の姫より、ずっと過酷なものだった。セーラはベッキーの隣の屋根裏部屋に追いやられ、炊事番の下働きを命じられます。ミンチン先生は、やがてこの子が成長したら、ただ働きの教師に使ってやろうと思っていた。

後見人を失った子どもには何の価値もないこと、学校の中でさえ持てる者と持たざる者の差は歴然としていることをこの事実は物語っています。

一八世紀後半から一九世紀前半に産業革命を経験したこの時代のイギリスは非常な格差社会で、児童福祉も未発達でした。工場法（一八三三年）で九歳未満の児童労働こそ禁止されたものの、子どもを労働力とみなし、親のいない子を奴隷扱いする習慣は残っていた。子どもを主役にした世界で初の小説とされるチャールズ・ディケンズ『オリバー・ツイスト』（一八三八年）は、救貧院で育ったみなしごの少年を描いた作品ですが、主人公のオリバーはろくな食事も与えられず、薄いお粥のお代わりをくれとねだったために拷問に等しい罰を受け、ついには葬儀屋に売りとばされます。

ベッキーやセーラの境遇もほぼ同じです。ミンチン先生が満足な食事も与えず彼女らをこき使うのは、ミンチン先生本人の性格以上に、この時代のイギリスの制度と習慣の問題だった。子どもは小さな大人である、という価値観で動いていたこの時代に児童虐待という概念はなかったし、子どもの人権などどこ吹く風でした。

本当に頭のいい子なら、そんな社会の矛盾に気づいたかもしれません。しかしセーラにそこまでの知恵はなかった。過酷な現実を、彼女は得意の想像力で乗り切ろうとします。

セーラ、マリー・アントワネットにわが身を重ねる

〈私は、バスチーユの囚人なの。何年も何年も何年も、ここに閉じこめられてるの〉〈ミ

ンチン先生は牢屋番よ〉。そして〈ベッキーは隣の牢の囚人なんだわ！〉。

この想像がフランスの歴史に由来している点は注目されます。フランスはセーラにとって亡き母の国ですから、イギリス以上の思い入れがあった可能性はありますが、ともあれ彼女はこの歳にして、火縄くすぶるバスチーユ、フランス革命の歴史を知っていた。

ただし、彼女の想像は倒錯しています。フランス革命はパリの市民が圧政の象徴であるバスチーユ牢獄を襲撃したのが発端ですが、バスチーユに投獄されていた囚人は国家への反逆を企てる反権力の政治犯だった。ところがプリンセスにわが身を重ねるセーラは、圧政した側に肩入れしているのです。

〈牢獄に入れられたマリー・アントワネットは、王妃の座を奪われ、着ていたものは黒い服だけだった〉。〈でもあの人は、翳《かげ》りのない暮らしですべてが贅沢だったときよりも、そのときのほうが、はるかに女王然としていたわ……〉。私はあのときのあの人が、いちばん好き。群衆がどんなにはやし立てたって、あの人はちっとも怖がらなかったのよ。荒れ狂う群衆よりも強かったんだわ、首をはねられたときでさえも……〉

民衆と王侯貴族。いったいどっちの味方なのか。

革命の歴史は知ってても、やっぱりこの子は階級の問題に疎《うと》いんですね。

それでも彼女にとって意味があったのは、「与えること」に喜びを感じていた子が「与えられる側」「ほどこしを受ける側」の痛みを学んだことでしょう。
　ある冬の雨の日、セーラは町で銀貨を拾い、ひもじさのあまり、拾った銀貨で丸パンを買います。パン屋のおかみさんはパンをオマケしてくれますが、六個のうちの五個までを、彼女はぼろをまとった「乞食の女の子」にやってしまう。本当は空腹なのに、プライドが邪魔をして、与える側に回ってしまうアホらしさ。
　屋根裏部屋を訪れてきたアーメンガードやロッティーに対しても、こんな逆境に負けはしないとセーラは見栄を張り続けていたのでした。気の利かないアーメンガードがようやくセーラの空腹に気づいたときにも〈気づいてほしくなかったの〉とセーラはいいます。〈そんなことが知れたら、乞食になったような気がしたでしょうから〉
　どんなに心細くても、ひもじくても、姫のプライドが邪魔をして、人に助けてくれといえない子。そのセーラが食べ物を運んでくるというアーメンガードの親切を受け入れ、屋根裏部屋でパーティーを開こうとするシーンはなかなかに感動的です。

『小公女』と『シンデレラ』の差はどこにある?

『小公女』は近代のお姫さま物語だと申しました。比較の対象としてもっともふさわしいのは『シンデレラ』でしょう。

おとぎ話の『シンデレラ』は屋根裏部屋の下女だった少女が急上昇して幸福をつかむ物語でした。『小公女』はお嬢さまだった少女が下女に急下降する物語です。『シンデレラ』では魔法の力でネズミが馬車を引く馬に変身しますが、馬車を奪われたセーラの屋根裏部屋には、ネズミの一家が住んでいた。まったく逆です。

しかし、両者のちがいはそこではありません。『シンデレラ』と『小公女』、さらに敷衍《ふえん》して、おとぎ話と少女小説のちがいとは何でしょうか。

それは魔法使いが出てくるか否かです。

シンデレラがかぼちゃの馬車で舞踏会に行けたのは、超自然的な魔法使いの力ゆえでした。またシンデレラが幸福をつかんだのは、彼女の美貌に王子が一目惚れしたからです。『シンデレラ』といい『白雪姫』といい『眠り姫』といい、おとぎ話の王子ってものは、親の威光で食ってるくせに女を容姿で判断するような男ばかりです。そしておとぎ話の姫の幸福とは、そんなろくでもない王子との結婚を意味していた。姫たちはしかも、自ら行動を起こすのではなく、たまたま出会った王子に見そめられただけ。こういう物語を幼い頃に女児はたたきこまれます。いかがなものかと思います。

セーラ、王子さまに出会う

ひるがえって『小公女』はどうか。一一歳にして人生のどん底に落ちたセーラはここから再び幸福への道を上りはじめます。『小公女』はV字回復型の物語なのです。

それは当初、魔法のようなかたちでもたらされます。

寒さと空腹のなかで眠りについた夜、ふと目を覚ますと、暖炉の火が燃え、やかんの湯がわいていた。床には絨毯、暖炉の前にはクッションと椅子。テーブルには皿とティーセットがのり、ベッドには上掛けと羽毛を詰めたキルト。足もとには綿の入った絹のガウンとキルトのスリッパ。セーラはベッキーに興奮して伝えます。

〈私たちが眠っているあいだに、《魔法の精》が来て、魔法をかけていったの〉

魔法の仕掛け人は、隣家の住人・ラムダスでした。姫を苦境から救ったという点で、このラムダスこそがセーラにとっての「王子さま」でしょう。しかしラムダスは隣家のカリスフォード家に仕えるインド人の召使いです。

ラムダスが飼っている猿が、屋根裏部屋の天窓からセーラの部屋に入ってきたのがキッカケで、二人は親しくなったのでした。そこで威力を発揮したのは、セーラのものおじしない態度とインド時代に覚えたヒンドゥスターニー語でした。母語で話しかけられたラムダスは感激し、以後、セーラの行状を天窓を通して見守ってきたのです。

自力でつかんだV字回復の物語

この挿話は、二つの意味でおとぎ話を相対化します。

ひとつは、王子の役割を果たしたのが、ホンモノの王子とは真逆の異国から来た隣家の召使いであったことです。階級に疎《うと》いセーラは、疎い分、どんな相手にも偏見をもっていない。二人の間に成立したのは、階級も民族も超えた友情でした。

もうひとつは、この幸運がセーラの資質によるものだったことです。ラムダスは病に伏せっている主《あるじ》のカリスフォード氏を励まそうと、隣家の変わった少女の話をしたのです。〈あの子、ここの女主人の、悪魔のようなやつに、パリア（下層民）そっくりの扱い、受けてます。けれどその子のふるまい、王家の血筋、さながらです〉。〈私、あの子がとても好きです。私たち、孤独な者同士だから〉

カリスフォード氏はおおいに興味をかきたてられます。こうしてスタートした、主と召使いの魔法プロジェクト。

心身の健康を取り戻していくなかで、セーラもそれが魔法の力ではなく、だれか見知らぬ人の好意であることを悟ります。〈この世界のどこかには、限りなくやさしい人がたしかにいて、しかもその人は私のお友達なんだ〉と。

一度目の幸福、すなわちセーラが金持ちの娘に生まれたのはたんなる偶然です。しかし、二度目の幸福は、彼女が自力でつかんだものだった。

二度目の幸福も偶然がからんではいますが、ラムダスの心を動かし、カリスフォード氏の好奇心を刺激したのは、美貌でもガラスの靴に合う足でもなく、セーラの逆境に負けない強い意志と毅然とした態度だった。そしてラムダスとの交流のキッカケは、セーラが身につけていたヒンドゥスターニー語でした。自らを救うのは、志の高さと教養である、というメッセージを『小公女』は放ちます。王子に見そめられて結婚するという古くさいお姫さまの物語を、『小公女』は近代の物語につくりかえたのです。

セーラ、プリンセス願望を成就させる

というわけで、V字回復のゴールで待っていたのは、思いがけない展開でした。

くだんのカリスフォード氏が、亡き父の親友で、かつダイヤモンド鉱山の共同出資者であり、丸二年も死んだ友人の娘の行方を捜していたこと、ダイヤモンド鉱山の資金はその後回収され、セーラは父が遺した莫大な富の相続人になったこと。

ラムダスの案内で面会したセーラとカリスフォード氏はすっかり意気投合。セーラはセレクト女子寄宿学園を退学し、家族のいないカリスフォード邸に引き取られます。そして自分のお金を、あることのために使いたいと願い出た。

〈おじさま、ほら、私にはたくさんお金があるって、おっしゃったでしょう？　だから私、あのパン屋のおばさんに会いに行くのはどうかしらって、考えていたんです〉

おなかをすかした子どもが来たら、何か食べるものをあげてほしいとおかみさんに頼みたい。そして勘定を自分に回してもらいたい。それが彼女の希望でした。

セーラの「与えたい」願望はやはり直っていなかった。しかし以前とちがうのは、こんな一言をいえるようになったことでしょう。〈だって私、おなかがすくってどういうことなのか、わかるんですもの。それに、すいてないふりをしようとしてもできないのが、どんなに辛いことか、わかるんですもの……〉

くだんのパン屋を訪ねると、おかみさんの好意で、かつてセーラがパンをあげた女の子（名前はアン）が店員として働いていた。セーラは喜び、アンにいいます。〈たぶんこちらのブラウンさんは、子どもたちにパンをあげる役目を、あなたにお願いすると思うの。ぜひやりたいって、きっと思ってくれるわよねえ？〉

相変わらずの高飛車モード。とはいえ「国じゅうの人に、惜しみなしに贈物ができる」という願望の一部はここでかなったことになる。彼女はやはり天性の「姫」なのです。

アンとベッキーの階級は変わらない

ちなみにその後、ベッキーはどうなったかというと、セーラのたっての希望により「付き人」として、やはりカリスフォード邸に移住したのでした。

現代の読者なら「なによ、この結末は」と思うでしょう。セーラはV字回復でお嬢さまに復帰したのに、ベッキーは下女のまま。ストリートチルドレンから脱皮したアンも階級としては下層労働者です。この不公平な待遇の差は何？

それはたしかにその通りです。しかし、もしここで、ベッキーもカリスフォード邸でセーラと同じ待遇を得て幸せに暮らしました、めでたしめでたし、で終わったらハッピーエンドといえるのか。小さいお子さまは満足するかもしれませんが、それだと「おとぎ話」になってしまう。『小公女』は階級社会の冷酷な現実を曲げません。セーラがカリスフォード氏に引き取られたのは、あくまで彼女が亡き親友の娘であり、莫大な財産を相続したからです。氏はべつに慈善事業家じゃないんです。

階級ってものは、子どもの一存で変えられるようなものではないんですね。階級差をなくしたいと思ったら、目指すべきは階級闘争、革命を起こさなければなりません。天性の姫で、階級社会に鈍感なセーラが、そんなこと、思いつくわけないじゃないの。なにしろ彼女はマリー・アントワネットにわが身を重ねていたんです。もし階級社会の矛盾に彼女が気づくとしても、それはもっと先でしょうし、あるいはベッキーやアンがセーラへの崇拝から卒業し、階級意識に目覚めて自己主張をはじめたときでしょう。

成長後は児童福祉事業にいそしんだ⁉

『小公女』には続編がないので、その後のセーラがどうなったかはわかりません。

人生のどん底を少女時代に味わったこういう子は、政治家になるといいんじゃないかと私は思いますが、イギリスで女性参政権が実現したのはずっと後の話です。「戸主または戸主の妻である三〇歳以上の女性」の参政権が認められたのが一九一八年、二一歳以上を対象にした男女平等の普通選挙が実現したのは一九二八年です。そんな事情を考えると、成長後の彼女は児童福祉事業に情熱を傾けたのではないだろうか。

孤児に対する非人道的な扱いを告発した『オリバー・ツイスト』は、イギリス社会に衝撃を与えました。同じような飢餓と虐待を身をもって体験したセーラは、父から受け継いだ資産を貧困な子どもの救済に使おうと思ったはずです。それでたぶんいうんです。「だって私、おなかがすくってどういうことなのか、わかるんですもの」

ファザコンだった以前のセーラは、虚勢を張って「小さな奥さま」ぶっていた。寄宿学校でもプリンセス然とふるまっていた。でもそれは、しょせん家庭や寄宿学校という狭い世界での話です。父の死で社会に放り出されたセーラは、そこではじめて貧困の現実を知り、共生の大切さを学び、精神的に自立したのではなかったでしょうか。

セーラはいつ少女時代を卒業したか

想像の世界に生きていたセーラが、現実に目覚める象徴的なシーンがあります。

人形のエミリーをセーラは親友と思い、苦しい胸の内を打ち明けてきた。しかし、嵐の中を空腹で戻ったある日、セーラの目にそれはただの木偶《でく》の坊に見えた。セーラはエミリーを椅子から突き飛ばします。〈あんたなんか、ただの人形なんだわ！〉〈おがくずが詰まってるんだもの。心なんて、なかったのよ〉

もし『小公女』に「少女時代からの卒業」という要素が組み込まれているとしたら、この瞬間でしょう。なにしろエミリーはただの親友ではない、大好きだった父親からの、かけがえのない贈り物だったのですから。

こうして彼女は、自分だけの想像の世界から脱皮し、外に目をむけるようになっていく。甘い父親の庇護下にいたら、こうはならなかったでしょう。プチ大奥みたいな女子寄宿学園のスターでいても、こうはならなかったはずです。屋根裏部屋での経験、セーラにとってのイニシエーションはけっして無駄ではなかった。

彼女の王女さま然としたものごしや、可愛げのない言動や、過剰なプライドは一生変わらないかもしれません。しかし、魔法の力を借りなくても、人の力で道は開ける、美貌の力で男に選ばれるだけが物語の上がりではないと、『小公女』は主張します。魔法使いと決別したところから、物語は、いや人生ははじまるのです。

2

男の子になりたいと思うこと

オルコット『若草物語』

Little Women

1868

ルイザ・メイ・オルコット（一八三二〜一八八八）

アメリカ・ペンシルベニア州に、四人姉妹の次女として生まれる。父は超絶主義を信奉する哲学者で教育者、母も結婚前は高等教育を受けた社会改革運動家だった。家計が苦しかったため、一〇代から創作をはじめる。二二歳で初の単行本を出版。出版社の依頼で書いた『若草物語』が好評をもって迎えられ、ベストセラー作家になる。ジェンダー規範から外れた少女を好んで描いた。

★『若草物語』吉田勝江訳、角川文庫、一九八六年

良妻賢母を異化する異色の家庭小説

ルイザ・メイ・オルコット『若草物語』。発表年は『小公女』より古くて一八六八年、日本でいえば明治維新の年です。少女小説（あるいは少女の読者を想定した家庭小説）の歴史は、事実上、この作品からはじまりました。

『若草物語』は四人姉妹の物語です。原題は『Little Women』、つまり「小さな婦人たち」。一六歳の長女メグことマーガレット。一五歳の次女ジョーことジョゼフィン。一三歳の三女ベスことエリザベス。一二歳の四女エイミー。以上、マーチ家の四人姉妹が体験する丸一年のできごとを物語は描いています。

日本では一九〇六年（明治三九年）に北田秋圃《しゅうほ》の訳で出版された『小婦人』が初訳です。当時の日本は女学校教育の興隆期。日本でも良妻賢母教育のツールとしての役割が期待されたといえるでしょう。ちなみにこの訳本では、マーチ家は「進藤家」と名前を変え、メグは菊枝、ジョーは孝代、ベスは露子、エイミーは恵美子になっています。

それが『若草物語』に改題されたのは一九三四年の矢田津世子《つせこ》と水谷まさるの訳からでした。前年に公開されたアメリカ映画の日本語版の監修をつとめた吉屋信子が『若草物語』というタイトルをつけ、以後それが定着したといわれています。

波瀾万丈な『小公女』とくらべると、『若草物語』はありふれた家族のよしなしごとが描かれているにすぎません。その意味では、典型的な家庭小説といえます。にもかかわらず一五〇年もの間、世界中で高い人気を誇り、これまでに五度も六度も映画化され、アメリカではいまもなお少女の必読図書とされています。家庭小説の嚆矢《こうし》でありながら、『若草物語』は家庭小説の理念を裏切る小説なのです。

主人公は「男の子になりたかった」女の子

舞台は、南北戦争（一八六一〜六五年）の頃のアメリカ東海岸。作者が少女時代をすごしたマサチューセッツ州のコンコードと推測されます。

物語はある年のクリスマス直前から幕を開けます。ジューン・アリスンがジョーを演じた一九四九年公開の映画では、次女のジョーがスカートをたくし上げて塀を跳びこえる印象的なシーンからはじまっていました。原作はジョーの愚痴からはじまります。

〈「贈り物しないんならクリスマスったってクリスマスらしくありゃしないよ」ジョーは敷物の上にねころびながら、ぶつくさ言った〉

この台詞と態度から類推されるように、ジョーはまったく女の子らしくない子です。それどころか、自分が女に生まれたことを呪っている。ジョーはいいます。

〈私おとなになったなんて考えるだけでぞっとするわ。そしてミス・マーチなんてものになって長いドレスを着て、エゾ菊みたいにつんとすましてるなんてさ。とにかく女の子だっていうのがいけないのよ。私は遊びだって仕事だって態度だって、男の子のようにやりたいのに。男の子でなかったのがくやしくってたまらないわ〉

型破り、ボーイッシュ、中性的、いろいろ表現はありましょう。しかしともあれ、ジョー・マーチが右のようにいいはなった瞬間に、少女小説の運命は決まったといえます。ジョゼフィンを略したジョーという呼び名自体、男性の名前です。少女小説の歴史は皮肉にも、家庭小説の流儀を蹴飛ばす少女からはじまったのでした。

背が高く、やせて色が浅黒く、長い手足をもてあましているという少年のようなジョー。彼女は職業作家志望です。将来の夢を語り合う場面で、彼女はいいます。

〈私はアラビア馬のたくさんいる廏《うまや》と、本がぎっしり詰まったお部屋があればいいと思うわ。私は魔法のインク壺を使っておはなしを書くのよ〉

一九世紀は「本を読む女性」が大量に出現した時代でした。背景にあるのは、やはり産業革命です。イギリスよりやや遅れて産業革命がはじまったアメリカでは、一九世紀の中ごろに社会が大きく変わります。三〇年代から鉄道網の敷設が進み、工業が発達して都市に人口が集中。新興の中産階級が出現します。この階層は教育に力を入れ、学校や図書館などの整備に努めます。義務教育制度が全米で整うのはもう少し後のことですが、私塾的な性格の学校が開設され、識字率が上がったことで、印刷業や出版業も興隆をきわめ、五〇年代には、新聞や雑誌が大量に発行されるようになりました。

本を読む女性が増えれば、本を書きたいと考える女性が出現する。オルコット自身がそういう女性だったわけですし、ジョーもまたそういう女の子だったわけです。

上の二人は賃労働者、下の二人は芸術家

長女のメグはジョーと正反対のタイプです。容姿端麗で美貌自慢。将来の夢も作家として大成すると豪語するジョーとは対照的で、メグは幸せな家庭生活を夢みている。〈私はね、美しい家がほしいの。そこには贅沢なものがいっぱいつまっているの〉とメグはいいます。〈私はその家の奥さんで、召使いをたくさんおいて、好きなようにやっていくのよ。自分ではちっとも働かなくていいようにね〉

ジョーの悩みは、「女の子」というジェンダーの規範に縛られて、思う存分本を読んだり、駆けっこをしたり、馬に乗ったりできないことでした。一方、メグの悩みは贅沢ができないことです。〈「貧乏っていやねえ！」メグはためいきをついて自分の古びたドレスに目をとおした〉。これがメグの初登場シーンです。ジョーが保守的な価値観の破壊者なら、メグはお姫さま物語に代表される古典的な価値観の保持者ともいえます。

ただし、メグもジョーも単なる夢みる乙女ではありません。

二人はじつは賃労働者。別のいいかたをすれば職業婦人です。マーチ家は裕福ではなく、自分のお小遣いくらいは自分で稼ぎたいと二人は申し出たのでした。

といっても女性の職業が確立されている時代ではありませんので、メグの仕事は上流家庭の子どもたちの家庭教師、ジョーの仕事は資産家のマーチ伯母（亡き伯父の未亡人）の身の回りの世話係です。結婚までのアルバイトといえばいえますが、そもそも結婚前の娘が働くこと自体、当時の価値観からいえば褒《ほ》められた話ではなかった。しかし半面、二人が一定程度の経済的な自由を手にしているのも事実です。労働は社会参加の第一歩。それだけでも家庭小説の定石を外れているとはいえるでしょう。

下の妹たちはどうか。三女のベスは日本でいえば中学一年生、エイミーは小学六年生くらいの年齢です。身体が弱く極端に内気なベスは学校になじめず家で勉強することを選び、こまっしゃくれたところのある四女のエイミーは、姉妹でただひとり学校に通っていましたが、教師に理不尽な扱いをされて、後に学校をやめてしまいます。

ただし、この二人も単なるコドモではありません、三女のベスは大の音楽好き、四女のエイミーは絵が得意。幼いながらも二人は芸術家マインドの持ち主なのです。

四人それぞれがはっきりした個性と趣味嗜好を持ち、将来への希望を抱いている。それだけでも『若草物語』が現代的な物語であることがわかります。

父には去っていただくという選択

マーチ家の家庭の事情を見ておきましょう。

先にも申し上げましたが、マーチ家は裕福な家庭ではありません。「貧乏っていやねえ!」とメグは口にしていますが、家には長年仕えてきたハンナというベテランのメイドもいますし、メグとジョーは上流家庭の舞踏会に招待されたりもする。これのどこが貧乏なんだ、と日本の子どもは首をかしげます。

それもそのはず。マーチ家はべつに貧困家庭ではありません。母のマーチ夫人は、貧しい移民の家族(本当の低所得家庭)に物資を届けるなどのボランティア活動をしているくらいですし、マーチ家の家長、すなわち姉妹の父は牧師さんです。階級でいえばマーチ家は中産階級か、ないしは階級を超えた知識人の家庭といえます。

それなのに姉妹が「うちは貧乏」という認識をもっているのは、父が財産を失ってマーチ家が、緊縮財政を強いられているためです。軍人なのに事業に手を出してコケた『小公女』のクルー大尉といい、友人を救おうとして財産を失ったマーチ氏といい、少女小説に出てくる父親はどうしてこうもヘタレが多いのでしょうか。

それはともかく、その父親はもっか家におりません。これがもうひとつの家庭の事情です。マーチ氏は北軍の従軍牧師として南北戦争の戦地に赴き、長く不在なのです。

なぜ〈もうお年で軍隊のお役にはたてず、あまりおじょうぶでもないのに〉、父は戦地に行ったのか。父に戦地行きをすすめたのは母だったらしく、当人は〈お母さまは自分の大事なお国のために、いちばんたいせつなものをささげたのですよ〉と愛国者ぶっていいますが、作劇上の都合からいえば理由は簡単、邪魔だからです。いるだけで家父長的な色彩を帯びる父親は少女小説には障害でしかないため、（作者の手で）追い出された。『小公女』のクルー大尉が（作者の手で）殺されたのと同じです。

父の不在がもたらした長男意識

事実、父を物語から追放したことで、『若草物語』は大きな特権を得ました。

ひとつはジョーに活躍の場を与えたことです。〈パパがお留守なんだから、私が家の男役なのよ〉とジョーはいいます。〈パパはね、留守のあいだ私に特別お母さまのめんどうを見てあげなさいっておっしゃったんだもの〉

パパがお留守であればこそ「男役」としての彼女の個性は発揮される。右のせりふに鑑みれば、ジョーの意識はマーチ家の次女ではなくて「長男」なのです。

もうひとつの特権は、お隣のローレンス家との交流が生まれたことです。

頑固者で有名なローレンス氏は貿易で財をなした資産家の老人で、孫のローリーと大邸宅で暮らしています。ローリーはジョーと同じ一五歳。母はイタリア人で、ローリーもイタリア生まれですが、両親を早く亡くして、父方の祖父に引き取られたのでした（少女小説の定番の「みなしご」は男子で、お隣の家にいたんです）。

ジョーとローリーが親しくなったのは、友人宅のパーティーがきっかけでした。二人はたちまち意気投合。やがて両家は親しくつきあいはじめます。

もしもマーチ氏が在宅だったら、これほど親しい交流はなかったと思いますよ。娘たちが男所帯の隣家を頻繁に訪れるのを父が喜んだとは思えませんし、ローレンス氏やローリーも、家長のいるマーチ家には訪問しにくかったにちがいない。

しかしマーチ家に父はおりません。女所帯のマーチ家にとって、男所帯のローレンス家は用心棒として役立つ上、高齢のローレンス氏はいわば「男性を卒業した人」ですし、一五歳のローリーはまだ「男性未満」の少年です。家長だけでなく「大人の男」も物語から注意深く排除されている。少女小説では「男の影」は概してタブーなのです。

他方、ローレンス家にしてみれば、祖父と孫だけの味気ない暮らしにあたたかい団らんと笑いをもたらしたのがマーチ家だった。とりわけ「みなしご」だったローリーは、四姉妹と親しくつきあうことで、自分を解放できたといえるでしょう。

男の子らしさを嫌う男の子、ローリー

男の子なのに少女小説への出入りを許されたローリーとは、ではどんな少年か。

彼の正しい名前はシオドア・ローレンス。彼はマーチ夫人が「少年紳士」と呼ぶほど礼儀正しい少年ですが、大学に行かせられるのを嫌がっています。〈大きらいです。こつこつ詰め込むか、ばか騒ぎするしかないんですからね。それに僕はこの国の若い連中のやることも好きじゃないんです〉と彼はいいます。

ローリーの夢は世界中を自由に旅した後でドイツに渡ることだった。好きな音楽をやりたい、僕は有名な音楽家になる、とローリーはいいます。彼の亡き母はイタリア人の音楽家です。ヨーロッパへの憧れも音楽への憧憬も高かったのかもしれません。

しかしローリーにもローリーの悩みがあった。

〈おじいさまは、僕をご自分のようなインド貿易商にしたいんだ。ところが僕はそんなものになるくらいなら、弾《たま》に撃たれて死んだほうがいい〉

男として敷かれたレールの上に乗ることをローリーも嫌っている。

男の子のような振る舞いを好むジョーと、男社会のバカ騒ぎが嫌いで内気なところのあるローリー。それぞれに「女らしさ」「男らしさ」というジェンダー規範に乗れない似た者同士だからこそ、二人は意気投合した。ローリーが女ばかりのマーチ家になじめたのも男の子らしくない男の子だったからでしょう。

少女小説の特徴のひとつは、恋愛を描かないことだと「はじめに」で申し上げました。主人公の多くが子どもであること、一九世紀の保守的な価値観、性的な匂いを嫌うピューリタニズムの影響など、理由はいろいろ考えられますが、ともあれ恋愛をメインのストーリーにはしない。恋愛よりも友情が上。それが少女小説のオキテです。

ジョーとローリーの間にあるのも異性愛というよりは友情です。二人の関係は親友としか呼びようがありません。「いつかこの二人はくっつくんじゃないかしら」「くっついてほしい」と考える読者が少なからずいることは私も知っています。知っていますが、〈小説以外のロマンスなどはむしろ軽蔑している〉というジョーの言い分に従って、そんなのはくだらないラブロマンスに毒されている証拠だと一蹴しておきます。

つけ加えれば、孫娘と祖父に近いベスとローレンス老人の関係も、友情と呼ぶべき種類のものです。気むずかしいローレンス氏がベスの好意に感激してピアノを贈るくだりは、『若草物語』のなかでも、とりわけ心あたたまるエピソードですが、その後の二人もまさに親友のような微笑ましい関係を築くことになります。

と、こんな感じで、たくさんのエピソードを盛り込みながら物語は進行します。とはいえジョーのような子は、この時代においては異端児です。快活だったジョーはやがてそのことで苦しみ、いくつもの試練を味わうことになるのです。

ジョー、妹を失う恐怖を味わう

ジョーを襲った最初の試練は、エイミーの水難事故未遂事件でした。

ことの発端は、ジョーが書きためていた原稿を、観劇に連れていってもらえなかった腹いせに、エイミーが燃やしたことでした。ジョーは激怒します。〈ばか、ばか！　私もう二度と書けやしないわ。一生ゆるしてやらないから〉

母に諭されてことの重大さを知ったエイミーは姉にあやまろうと、川にスケートに出かけたジョーとローリーを追いかけます。が、怒り心頭のジョーは妹を無視。そしてエイミーは溶けかかった氷の割れ目から、水中に半分没するという事故にあいます。

ローリーの機転でエイミーは危うく難を逃れたものの、この一件はジョーに激しい内省を促します。〈短気で、毒舌家で、落ち着きのない気性ときているので、彼女はいつも失敗のしどおし〉だったというジョー。〈私、いつか恐ろしいことをしでかして、一生をめちゃめちゃにして、みんなからにくまれるようなことになるんじゃないかしら〉

二度目の試練はマーチ家に届いた電報からはじまります。〈ミセスマーチ、／フクンヤマイオモシ／スグコラレヨ〉父の病を知らせる戦地の病院からの電報でした。ジョーは、彼女の唯一の「女の子らしさ」だった自慢の髪を売り、旅費に役立ててほしいと申し出ます。〈ショートカットって気持ちがいいものね。私もう二度と伸ばさないつもりよ〉と強がってはみたものの、相当な決心だった証拠に、彼女はその夜ベッドで泣きます。

しかし試練とはそのことではありません。父の容態はもちなおしたという手紙が母から届いてほっとしたのもつかのま、ベスが猩紅熱《しょうこうねつ》にかかるのです。猩紅熱は感染症です。免疫のないエイミーはマーチ伯母の家に隔離され、メグは家庭教師を休み、ジョーはベスにつきっきりで看病につとめます。が、ベスの容態はしだいに悪化して……。

ベスの猩紅熱は、母のかわりに貧しい移民の一家に食料を届けに通った結果でした。自分がサボったせいだ。ジョーは苦い後悔にさいなまれます。

戦況も社会運動も届かぬ世界

他の少女小説にもいえることですが、『若草物語』は同時代の政治や社会の状況をいっさい話題にしません。南北戦争は、奴隷制度に反対して大統領選に勝利したリンカーン率いる北軍と、奴隷制度の存続を主張してアメリカからの分離独立を宣言した南部諸州からなる南軍のあいだで起きた内戦です。それがどれほど激しい戦争であったかは、両軍あわせて五〇万人もの死者を出したことからもうかがえます。第一次大戦の死者は五万人、第二次大戦の死者は三〇万人、ベトナム戦争の死者は六万人ですから、いまなお南北戦争は、アメリカ合衆国史上、最大の戦争なのです。

ですがマーチ家では、日常のよしなしごとに終始して、政治も戦争も話題になりません。〈パパといっしょに戦争に行きたくってしようがないのに〉と口にした活字中毒のジョーですら、実際の戦況には関心がないようです。

一九世紀中盤のアメリカはまた、第一波フェミニズムの勃興期で、一八四八年には婦人参政権運動がスタート、一九二〇年に参政権を獲得するまでの長い戦いがはじまっています。ジョーのもとにはそんな情報も届いていないようです。

念のためにいいますと、作者のオルコット自身は、革新的な教育者の父と女性の権利拡張運動や奴隷解放運動に意欲を燃やす母のもとで育った先取的な女性です。南北戦争の際には短期ながら北軍の看護婦として従軍もしています。そんな環境で育った作家が、ではなぜ自身の分身であるような少女を主人公にした小説に、戦争も政治も書き入れなかったのか。これはもう意図的に避けた、としか考えられません。

最大の理由は「少女向けの小説を書いてくれ」という出版社のリクエストに応えて書かれた小説だったことでしょう。今も昔も児童文学は、政治を好みません。

もうひとつは『若草物語』が戦争終結から数年しかたっていない時期に書かれたことです。本書が好評をもって迎えられたのは、それが戦争で負った心の傷を癒してくれる平和な家庭の物語だったからです。戦争にも政治にも疲弊していた時代だったからこそ、それは排除されたのではなかったでしょうか。

ジョーが味わった挫折の意味

三つめの理由は、『若草物語』はあくまで「自分との戦い」「個人の戦い」の物語だということです。この長い小説には、悪役らしい悪役も、敵らしい敵も出てきません。しいていえば、ジョーが世話係として通っているマーチ伯母が多少意地悪なことをいうくらい。外部に敵がいないかわり、姉妹は自分自身との戦いを強いられます。

メグの場合、それは強い虚栄心でした。上流の友人宅に泊まりがけで招かれたメグは、ちょっと手を入れれば可愛い美人になれるという悪魔の誘惑に乗せられ、流行の衣装でパーティーに出席します。が、ジョーに偵察を命じられたローリーに見とがめられ、強い後悔にさいなまれます。贅沢な暮らしを望むメグにとって、それは大きな誤算だった。

ジョーにとっての挫折はベスの病でした。

ハンナというベテランのメイドがいるとはいえ、父も母も不在のマーチ家で、ジョーはいよいよ「家の男役」「長男」の役割を果たす立場に立たされた。

しかし実際はどうだったか。自分の髪を売って母の旅費をつくろうとしたのは強い責任感のあらわれですが、逆にいえば自分には髪しか売るものがないという屈辱感と表裏一体だったはずです。その直前、彼女は新聞社に持ちこんだ原稿が採用されるという快挙をなしとげていましたが、新人に稿料は出せないといわれたのです。

その上ジョーの窮地を救ったのは、似た者同士であるはずのローリーだった。ぐずるエイミーを説き伏せて隔離作戦を成功させたのもローリー。ベスの容態悪化を見かねて戦地のマーチ夫人にいち早く電報を打ったのもローリーです。彼は持ち前の冷静な判断力とユーモアの精神を発揮して、どんどん大人に近づいていく。

生死の境をさまよったベスはその後回復し、母も家に戻って姉妹は危機を脱しますが、この経験はジョーに自分が小娘でしかないことを実感させたはずです。

子どもの頃に「男の子のように振る舞うこと」は、ある意味、簡単なんですよね。乱暴な言葉遣いや態度で周囲を煙《けむ》に巻いておけばよいのだから。しかし、大人になったらそうはいかない。ジェンダーロールの縛りは少女時代を卒業する時期になっていよいよのしかかってくる。ジョーを苦しめた最後の試練は、メグの結婚話でした。

ジョー、姉の恋バナに激怒する

『若草物語』には、男性を卒業したローレンス氏（老人）と、男性未満のローリー（少年）を除き、「男の影」がないと申しました。それが終盤、急に存在感を増し、物語のなかにしゃしゃり出てきた男がいる。ローリーの家庭教師・ブルックさんです。少女小説に「大人の男」が出てくると、だいたいろくなことになりません。

ブルックさんはマーチ夫人が戦地に行く際、ボディガード役として付き添い、マーチ夫人の帰宅後も、現地に残ってマーチ氏の看護を買って出たのでした。

家に戻ったマーチ夫人は、ブルックさんをなれなれしく「ジョン」と呼び、衝撃の発言をします。〈あの方はメグを愛していると言いました。だけど、あの子に申し込む前に、楽しい家をつくれるだけのものを準備したいと言うのです〉

ジョーは激怒します。〈卑劣だわ！　自分をよく思わせるために、お父さまにとり入ったりお母さまにぺこぺこしたりするなんて〉

そうだ、そうだ。もっといってやれ！

ジョーが腹を立てたのは、もともとブルックさんがメグに気があることも、メグがまんざらではないことも知っていたからです。しかも信じていた母やローリーまでが、二人をくっつけようと画策している。ジョーの憤慨はおさまりません。

〈メグはあのひとに夢中になって、私なんか何もおもしろいことがなくなる。ブルックはとにかく財産をこしらえてメグを連れてっちゃう。すると家は大穴があいたようになるんだわ〉〈ああ、つまらない！　どうして私たちみんな男の子に生まれなかったんだろう？そうすればこんなめんどうはないんだのに〉

なぜ彼女はそこまで姉の結婚を嫌うのか。

最愛の姉が奪われる、という恐怖もあったでしょう。最初はエイミーを水難事故で、次にはベスを猩紅熱で失いかけたジョーにとって、姉妹がひとりでも欠けるのは我慢ならない事態だった。小説以外のロマンスを軽蔑している彼女は極度の潔癖症で、メグが恋愛なんかにウツツをぬかしていること自体が許せなかった。それもあり得る。

しかし、より本質的には、女を束縛する結婚制度、ひいては異性愛至上主義に対する無意識の抗議ではなかったでしょうか。なぜならそれは、メグだけでなく、いずれは自分の身にもふりかかってくる（不本意な）未来像だからです。

誰にも理解されないジョーの孤独

中産階級が台頭した一九世紀のアメリカは、産業革命を背景に「男は仕事／女は家庭」という性別役割分業社会が成立した時代であると「はじめに」でも申し上げました。男の子の最終目標が職業人としての成功なら、女の子の到達地点は幸せな結婚と家庭生活である、という価値観はこの時代に固まったといえます。

マーチ夫人の家族観にもそれはあらわれています。〈私はね、自分の子供たちが美しく、なんでもよくできる善良な人になって、人からほめられ、かわいがられ、尊敬されるようになってほしいのです〉。そして〈りっぱな男の人に愛され、妻として選ばれるということは、女としていちばんしあわせなうれしいことなのです〉。

この程度のことはどんな親でもいうし、不幸せな結婚より老嬢のほうがマシだというジョーの意見に同調もしているマーチ夫人は、特に保守的だともいえないでしょう。しかし、男だったらこんな思いはせずにすんだ、とジョーは考える。ジョーはブルックさんを一貫して「あの男」呼ばわりし、最後まで姉の結婚を祝福しません。

〈君うれしくないのかい、どうしたの？〉とノーテンキにほざくローリーも、こうなるともう敵です。〈メグを他人にあげてしまうのが、私にとってどんなにつらいことなのか、あんたなんかにはわからないのよ〉

その往生際の悪さはいっそ滑稽なほどですが、異性愛が絶対善だと信じている家族にも親友にも、彼女の孤独はおそらく理解できないでしょう。

ここまで男になりたがり、異性愛を敵視する以上、本当は彼女のセクシュアリティ（性自認・性的指向性）を疑う必要があるのかもしれません。しかし、セクシュアリティがどうであれ、男の子のように生きたいと望んだ少女の前には必ず壁が立ちはだかる。メグの結婚話でジョーはその現実に直面したのです。彼女が受けた衝撃は、女子のジェンダー規範に合致したメグやエイミーはもちろん、家族の幸せが自分の幸せと考えるベスの理解も超えていたはずです。だからこそ、ジョーの孤独と絶望は深いのです。

表のメッセージと裏のメッセージ

物語のラストは最初のシーンから一年後のクリスマスです。物語から追い出されていたマーチ氏がサプライズ帰還して、一家が喜びにわくという感動の場面がそこには用意されているのですが、はたして帰ってきた父はなんといったか。

〈髪は短くなったようだが、一年前に別れた『息子のジョー』の面影はなくなったね〉。これがジョーに対する父の第一声でした。

〈あのわんぱく娘はいなくなったようで寂しいが、そのかわりにしっかりした、たのもし

い、やさしい婦人がいてくれるのだから安心だ〉

行儀がよくなった娘の成長を喜ぶ父。ま、牧師さんの商売は説教ですから致し方ありませんが、こうやって女の子はスポイルされ、少女時代の快活さを失っていくのだと思わずにはいられません。やはり少女小説にとって父親は邪魔者なのです。

「小さな婦人たち（Little Women）」というタイトルも、そもそもはマーチ氏が娘たちにかくあれかしと願って掲げた言葉に由来します。父の右の言葉と母の先の言葉を統合すれば、『若草物語』が発している表のメッセージは明らかでしょう。

娘たちよ、自らの欠点を克服して「小婦人」としての成長をとげよ。さすれば君たちはやがてよき伴侶を得て、幸福な人生を手に入れるであろう。

『若草物語』は表向きはそういうお話です。マーチ夫妻の価値観はこの時代の市民の価値観。だから家庭小説らしい家庭小説として、この本は市民社会に受け入れられた。

しかしそれはあくまで「表向き」のメッセージです。もしも読者がこのメッセージを額面通りに受け取っていたら、『若草物語』は世界中の少女をかくも長く魅了はしなかったでしょう。ここには裏のメッセージが隠されている。それは……。

娘たちよ、臆せず男の子のように生きよ。君たちの前に立ちはだかる壁は高く、周りは敵ばかりだが、ひるまずに前を向け。君にはジョーがついている。

こんなこと、『若草物語』のどこにも書いてはありません。物語後半のジョーは挫折続きで、後悔や反省ばかりしています。しかし、男の子のように生きたいと思った女の子は必ず困難にぶつかる。ときには最愛の家族が敵として彼女の行く道をふさぐ。それは一五〇年前はもちろん、現代でも基本的には変わりません。だからこそ『若草物語』はジョーに試練を与えたのです。それは楽な道ではないよ、でもがんばれ、と。

ジョーとローリーはなぜ結ばれなかった？

『若草物語』には読者の強いリクエストで書かれた続編があります。最終的には『第三若草物語』『第四若草物語』まで入れて、これは全四冊の物語に発展しました。続編は無視していいと私は思っておりますが、第三・第四の主役は世代交代しているので、ここで言及すべき巻があるとしたら『続若草物語』でしょう。

正編の三年後からはじまる続編は大人になった姉妹の物語です。

ジョン・ブルックと結婚したメグはふたごの女児と男児の母となって子育てに奮闘し、ベスは一九歳で短い生涯を終えます。しかし続編におけるもっとも衝撃的なエピソードは、ローリーの求愛をジョーが拒絶したこと、そして傷心のローリーがエイミーと結婚したことでしょう。この展開は「ジョーとローリーはくっつくべきだ」「くっつくはずだ」と考えていた読者を失望させるものでしょう。むろんそれは承知の上で、オルコットはあえて二人を結婚させなかったのだと考えられます。もしジョーとローリーがくっついたら、それは『若草物語』全体を否定することになるからです。

子どもの頃は誰でも「男の子になりたい」っていうのよ。だけど年頃になったらみんな恋に目覚めて、私の大切な人はこんなに近くにいたんだわ♡、とかいって結婚するのよ。そんなありふれた言葉を私たちはイヤッというほど聞かされてきました。

しかし、考えてもみてください。それだと一五歳のジョーの苦闘、異性愛に対する抵抗は「コドモの未熟さ」「少女時代の気の迷い」で片づけられてしまう。ましてローレンス家は資産家ですから、ローリーとの結婚はお姫さま物語の上がりといっしょです。あのジョーがそんな陳腐な物語に回収されることを望んだでしょうか。

男の子になりたいと思うこと

「男の子になりたい」というジョーの願望は何を意味しているのか。

彼女が男性の性自認を持つトランスジェンダーだったという可能性も捨てきれません。ですが、全体の文脈から考えれば「女の子はかくあるべし」というジェンダー規範に自分は縛られたくない、男の子と同等の行動の自由が自分にも与えられるべきだ、の意味と解釈するのが妥当でしょう。今日風にいえば彼女が望んだのはジェンダー平等で、彼女を悩ませたのは規範に従うことのできない自分の性格だった。「男並みの権利を寄こせ」と要求する、当時始動しはじめていた第一波フェミニズムの思想とも、それは響きあっている。「おてんば」「ボーイッシュ」という言葉には収まりきれない切実さがそこには含まれています。

『若草物語』を卒業した後、ジョーは単身ニューヨークに出て、家庭教師をしながら創作に没頭。懸賞小説に当選して作家への道を歩みはじめます。一方のローリーはあんなに嫌っていた大学に進学、優秀な成績で卒業するも、ジョーに振られた傷を癒すべく、ヨーロッパに旅に出て作曲の道を目指します。

ですがジョーは意に添わない通俗小説を書く仕事に疑問を持って、書くことの意味を見つめ直し、ローリーは自分の才能のなさに気づいて早々に音楽の道をあきらめます。少年であれ少女であれ、夢はそう簡単にはかなわないのです。

とはいえ軌道修正後の人生が不幸とは限りません。ジョーはニューヨークで出会った二〇歳近く上のドイツ人の哲学教師・ベア先生と結婚。マーチ伯母が遺した邸宅を受け継いで、貧しい少年たちのための学校を開きます。

ジョーの結婚は読者の要望に応えた結果で、作者にとっては妥協の産物だったともいわれています（ちなみにオルコット自身は生涯独身を貫きました）。実際、続編の結末は不満だというフェミニストも少なくありません。なんだ、結局結婚しちゃうのか。作家の道もあきらめたのかと。でもね、ジョーはもともと困難に立ち向かうことが運命づけられた人なのです。もしも彼女の思い通りに人生が運んだら、そんなのは「おとぎ話」で、読者とかけ離れた「あっち側」の人になってしまう。だいいち有名な作家になるのと、学校を開くのと、どちらが望ましいか、誰にわかるでしょう。

たとえ思い通りに行かずとも、ジョーはいつも与えられたジェンダーに抗いながら、自分の道を自分で切りひらいてきた。読者はそこに自分を投影する。マーチ夫妻のしょぼいメッセージは忘れても、ジョーの格闘は忘れない。「君にはジョーがついている」とはそういうことなのです。

3

資本主義社会で生きること

シュピーリ『ハイジ』

Heidi

1880-81

ヨハンナ・シュピーリ（一八二七〜一九〇一）

スイスのチューリヒ郊外の農村で、医師の父と詩人の母の間に六人きょうだいの四番目として生まれる。二五歳で結婚、一児の母となる。作家デビューは四四歳と遅く、しかも匿名だった。五二歳で『ハイジ』第一部を匿名で発表（一八八〇年）、好評を博し、第二部から実名で書きはじめる。その後、息子と夫を相次いで亡くし、以後は作家活動に専念。女子教育にも尽力した。

★『完訳版ハイジ』全二巻、若松宣子訳、偕成社文庫、二〇一四年

原作はゲーテにならったビルドゥングスロマン

ヨハンナ・シュピーリ『ハイジ』。日本では『アルプスの少女ハイジ』などの邦題でも親しまれている作品です。とりわけ一九七四年に制作されたテレビアニメ『アルプスの少女ハイジ』（演出・高畑勲／画面構成・宮崎駿）は世界中で大ヒット。『ハイジ』といったら、いまは本よりアニメを思い出す人が多いかもしれません。

原作は二部構成の小説です。第一部が発表されたのは一八八〇年。原題は『ハイジの修業と遍歴時代（Heidis Lehr- und Wanderjahre）』で、ハイジがフランクフルトから山に戻るところまでが含まれます。これが好評を博し、翌八一年に第二部が出版されます。原題は『ハイジは学んだことを役だてる（Heidi kann brauchen, was es gelernt hat）』。以上二作を合わせた作品が現在の『ハイジ（Heidi）』です。

原文はドイツ語。出版後すぐ英語やフランス語に訳されてヒットし、日本では一九二〇年に野上弥生子の訳による『アルプスの山の娘――ハイヂ』（英語版からの重訳）として紹介されました。ドイツ語版からの全訳は『ビルマの竪琴』の作者として知られる竹山道雄訳の『ハイジ』（一九五二年）が最初のものです。

ドイツ文学には「ビルドゥングスロマン」と呼ばれるジャンルがあって、有名なのはゲーテの『ヴィルヘルム・マイスターの修業時代』『ヴィルヘルム・マイスターの遍歴時代』です。ビルドゥングスロマンは「教養小説」と訳されますが、ざっくりいえば無垢なる主人公がさまざまな体験を経て成長する物語のことです。

ゲーテに傾倒していたシュピーリも当然、ビルドゥングスロマンを意識していたはずです。作品にそっていえば、第一部がフランクフルトで試練を経験したハイジの成長物語、第二部はアルプスに戻ったハイジの力で周囲が成長する物語です。

絵本やアニメで親しんだ人は、アルプスの美しい山々を背景にした、野生児ハイジの牧歌的な物語という印象が強いのではないでしょうか。しかしながら、原作の『ハイジ』は近代の光と影が交錯する、なかなか複雑な作品なのです。

ハイジ、アルプスの少女になる

〈マイエンフェルトという、古くからつづくのどかな小さい町があります。この町の小道を歩き、緑の木のしげる野原をぬけていくと、山々につづく登り口にでます。山はとても高く、いかめしい様子でこちらを見おろしています〉

いかにもアルプス！　な書き出しです。物語はある六月の朝、〈いかにもこの山育ちといった大柄でたくましい若い女の人が、まだ幼い女の子の手を引いてこの細い坂道を登ってくるところからはじまります。この幼い少女が主人公のハイジ、五歳です。若い女はハイジの叔母（亡き母の妹）のデーテで、二六歳。一歳で父母を亡くし、母方の祖母とこの叔母に育てられたハイジは、一年前に祖母が死に、しばらくよその老女に預けられた後、父方の祖父が住むアルム村に連れてこられます。デーテがドイツのフランクフルトに部屋の掃除係という新しい職を見つけたためでした。

〈あたしはできるだけのことはしたわ〉とデーテはいいます。〈やっと五歳の女の子なんて、フランクフルトにはつれていけないでしょう〉。ハイジはつまり厄介払いされたわけですが、デーテとしては、そりゃあ〈あの人は、血のつながった祖父なんだから。この子の面倒を見てあたりまえでしょう〉といいたいでしょう。

ただ、「アルムおんじ」と呼ばれている問題の祖父は近隣でも有名な偏屈じじい。ハイジを見ても〈それで、この子はなにをしにきたのだ〉と無愛想に応じ、〈すぐに降りていけ。二度と顔を見せるな！〉とデーテを追い返します。

ところが周囲の心配をよそに、当のハイジは山がすっかり気に入ってしまった。美しいアルプスの山々。あつあつのチーズを塗ったパン。壁に丸窓のあいた、はしごの上の干し草のベッド。読者もハイジといっしょに胸をときめかせます。『ハイジ』の序盤は、この偏屈なじじいと幼い少女が心を通わせ合う心温まる物語といえましょう。

スイスは観光地として売り出し中だった

しかし、そもそもなぜ舞台がスイス・アルプスだったのか。

もちろん作者のシュピーリがスイスの作家だったからですが、それはそれとして当時のスイスは、いろんな意味でおもしろい、注目すべき土地でした。

ひとつは当時のアルプスが観光地として絶賛売り出し中だったことです。

長い間、アルプスは不気味で不毛な山岳地帯のイメージでした。それが一転したのは一八世紀。登山家のアルプス登攀を機にスイスは観光地として注目されるようになり、鉄道の発達とともに一九世紀末にはスイス旅行がブームになります。『ハイジ』はつまり少女の成長譚であると同時に、観光ガイドの役割も果たしていた。鉄道の駅があるマイエンフェルトからアルムまでは徒歩で片道二時間。標高一一〇〇メートルの高地にあり、冬の厳しさを含め、必ずしも子どもの成育に適した環境とはいえません。それでもこの土地に魅了されたハイジともども、読者は憧れをかきたてられます。

山を見ても空を見ても歓喜の声をあげ、ミルクを飲めば〈こんなにおいしいミルク、飲んだことない〉。干し草の山を見れば〈あたし、ここで寝る。すてきなところね!〉。ヤギに会えば〈この子たち、うちの子なの、おじいさん? 二匹とも?〉と目を輝かせ、〈おまえも牧場にいきたいだろう?〉と祖父に尋ねられれば、うれしくて飛びはねる。ハイジはまるでスイス観光のキャンペーンガールのようです。

もうひとつ重要なのは、当時のスイスが資本主義の矛盾に直面していたことです。一九世紀のスイスはいち早く産業革命をとげた工業国でしたが、農山村の伝統的な家内制手工業は衰退し、都市と地方の格差は広がる一方でした。そしてマイエンフェルト周辺は、経済発展から取り残された地域でした。だからデーテは国境を越えてフランクフルトに出稼ぎに行くわけですし、村の人々がヤギを飼っているのも、牛より安価で飼いやすかったためらしい。毎日毎日ヤギ乳とパンとチーズで、たまに干し肉が加わるだけという食生活にも、一見するとよさげですが、貧しさの一端があらわれています。

マイエンフェルトとその周辺は近代の光と影を背負った地域だったわけです。

傭兵から隠遁生活者になった祖父

では、ハイジの祖父はどんな人だったか。彼はべつだんアウトドア趣味でわざわざ不便な山の上に小屋を構え、ワイルドなカントリーライフをエンジョイしているわけではありません。この人もまた、スイスの歴史を背負った人物です。

彼は現在、七〇歳。デーテの説明によれば、立派な農場を持つ資産家の長男に生まれたものの、若い頃に放蕩して親兄弟も土地もなくし、人々の信用を失って村を出て行かざるをえなかった。十数年後、帰ってきたときには小さな男の子をつれていた。それがハイジの父のトビアスで、彼は成長して大工になり、ハイジの母のアーデルハイトと結婚するも、落ちてきた梁《はり》の下敷きになって落命し、まもなくアーデルハイトも亡くなった。おんじはますます頑固になり、山の奥にひっこんでしまった。

ヤギ乳のチーズを下の町で売り、パンや干し肉を調達して山に戻る。冬のあいだは得意の木工で糊口《ここう》をしのいでいるようですが、この人、要は世捨て人の隠遁生活者です。村を離れていたあいだ、祖父は傭兵としてイタリアのナポリにいたらしく、軍隊を脱走した、ケンカで人を殺したなどの悪い噂もたえません。

農耕地と資源に乏しいスイスはかつて、傭兵の国として有名でした。一八七四年の憲法改正で傭兵制度が正式に禁止されるまで、最大の輸出産業は傭兵部隊だったといってもいいほどでした。フランス革命の際、ルイ一六世の王宮の防衛にあたったのも、ナポレオンのロシア遠征に何千人もの兵を送ったのもスイスです。ですが、デーテの説明から、傭兵上がりの人物はあまりよく思われていなかったことがうかがえます。

ハイジとおんじの山の暮らしは一見夢のようですが、要は資本主義社会では居場所のない老人と少女が肩を寄せ合って生きているのに近かったといえましょう。

ペーターは資本主義社会の犠牲者だった

『ハイジ』は、階級社会の現実もあぶり出します。

まず注目すべきは、ヤギ飼いのペーターです。毎日祖父の家に来るペーターはハイジの六歳上で一一歳。アルムの少し下で、母と祖母と三人で暮らしています。同じヤギ飼いだった父は事故で亡くなり、現在は盲目の祖母の糸つむぎの内職と、近隣の家々のヤギを集めて放牧させるペーターのバイト料で、わずかな現金収入を得ています。

どの国でも子どもはかつて重要な労働力でした。産業革命以後は子どもが工場労働に駆り出されて社会問題化するのですが、スイスでは農畜産部門の児童労働も当たり前だった。ペーターもそんな子どものひとりでした。

ペーターの家は極貧です。古びた小屋は風が吹くとガタガタ鳴り、食事は硬い黒パンだけ。ペーターは一一歳になるまで、お腹いっぱい食べたことがありません。ハイジはやがて、この家のおばあさんと大の仲良しになりますが、こんな小さな少女が気を揉まなければならないほど、この一家の状態は悲惨なのです。

しかもアニメでは聡明な少年に描かれているペーターは、粗野で愚鈍で勉強嫌い。学校に満足に通っていないため、知識もコミュニケーション能力も不足している。叱られるのではないかと年中おどおどしているし、いつも空腹なので、わずかな駄賃や食べ物にすぐなびく。絵本やアニメでしか『ハイジ』を知らない読者は驚くでしょう。

ペーターの性格や扱いがあまりにひどいので、高畑勲はアニメ化に際し、ペーターのキャラクターを変えざるを得なかったと述べていますし、本国スイスではシュピーリは山育ちの少年を差別しているといった声もあるそうです。しかし、これぞリアリズム。ペーターこそ、急激に資本主義化した社会の犠牲者ではなかったでしょうか。

ハイジ、大都会へ行く

一方、物語には資本主義社会の勝者というべき家も登場します。ゼーゼマン家です。アルムに来て三年後、八歳になったハイジに転機が訪れます。

ある日、あのデーテ叔母さんがアルムを訪ねてきて、ハイジを連れていくといいだした。フランクフルトで貿易商を営むゼーゼマンさんが娘の遊び相手を探している。ついてはハイジをその遊び相手に、というのです。デーテは物語の中では悪役に近いポジションですが、さすが都会で見聞を積んだだけのことはある。

〈この子はもう八歳なのに、なにもできないし、なにも知らない。おんじは、なにも学ばせようとしない。学校にも教会にもいかせてないって、下の村できいたわよ。この子は、わたしのたったひとりの姉さんの子よ。わたしにはこの子の行く末に責任があるの〉

正論というべきでしょう。州ごとに制度は異なるものの、この時期のスイスではすでに公立の義務教育がスタートしていました。ペーターのように、学校をサボりがちな子も多かったものの、冬の間は学校に通わせる。それがこのへんの習慣でした。

ゼーゼマン家は資本主義社会の勝者

というわけでハイジは、〈この子をつれていって、だめにしてしまえ！　二度とこの子といっしょに顔を出すな〉という偏屈じじいの罵倒を背に、「すぐ帰れるから」というデーテの言葉にだまされて、フランクフルトに旅立ちます。「お嬢さまの相手」が目的ですから、手っ取り早くいえばデーテと同じ「出稼ぎ」です。

フランクフルトはドイツ有数の大都市。当時のドイツはビスマルクによって統一されたばかりで、スイスとは比較にならない先進国です。その中心都市であるフランクフルトには人口が集中し、飛ぶ鳥を落とす勢いでした。

しかも、ゼーゼマン家は大金持ちです。ひとり娘のクララはハイジの四歳上の一二歳。病弱で足が悪く、車椅子暮らしです。母は亡くなっており、仕事人間である父のゼーゼマン氏はあちこちを飛び回っていて、ほとんど家にいません。

〈ハイジがきてから、毎日、いろんなことが起こるの。毎日、とってもたのしいのよ。今までとは大ちがい。こんなにたのしいのは初めて〉というクララの証言は、それまでの暮らしがいかに単調で退屈だったかを示しています。

ペーターとクララの生活環境の差を考えれば、当時の格差がどれほど大きかったかが理解できます。貧しい山村と、華やかな大都会。かたや極貧、かたや富豪。これが資本主義社会の縮図、富の偏在でなくて何でしょう。

とはいえ、あたかも成功の代償のように、ゼーゼマン氏は妻を失い、娘は歩行困難に陥った。金の力がすべてではないことを、この設定は示しているのかもしれません。

出稼ぎ、転じて留学となす

話を戻します。ハイジがフランクフルトに来たのは「出稼ぎ」である、と申しました。しかし、彼女がここで得たものは教育でした。

ゼーゼマン家を取り仕切るロッテンマイヤーさんはハイジを厳しく指導します。〈まずは食事のときのお行儀です〉。〈勉強するときは、静かにいすにすわって、話をきくのです〉。〈そのおかしな格好はなんですか〉〈外をうろついてはいけないといいましたよね。それなのに、またでかけようとしているのですか〉

ハイジは突拍子もないことを次々やって、クララをおもしろがらせ、ロッテンマイヤーさんをきりきり舞いさせますが、べつだんそれは、ウケを狙ったわけではない。この家の人々から見れば、ハイジは行儀知らずで、方言丸出し、学校にも行っていないし、読み書きすらもできない「山出しの小娘」なのです。ドイツから見たスイス、フランクフルトから見たアルプスは、まさにそういうイメージだったのでしょう。

ハイジのここでの最大の収穫は、文字を覚えたことでした。彼女を覚醒させたのはゼーゼマン氏の母、孫娘たちの面倒を見にやってきた「おばあさま」だった。〈文字が読めるようになったら、どうなるか、わかる？ きれいな緑色の牧場にヤギ飼いがいる絵を見たでしょう。文字を読めるようになったら、この本をあげますよ〉

すぐにでもアルムに帰るつもりで勉強に身が入らなかったハイジは、このひと言で一念発起。またたく間に文字を覚え、家庭教師を驚かせます。

ハイジの「出稼ぎ」は結果的には「留学」だったことになります。

このあとハイジはホームシックが高じて夢遊病になり、お医者のクラッセン先生の強い勧告で、アルムの山に帰ることになりますが（そうしてここは物語の転機となる大きな山場なのですが）、フランクフルトに来なければ、ハイジはただの田舎娘で終わったはずです。デーテの判断は正しかったのです。

ハイジ、故郷に凱旋する

こうしてみると、『ハイジ』はアルプスの自然を背景にした、単なる祖父と孫娘の心温まる物語ではありません。アルムに戻ったハイジは祖父にいいます。〈おじいさん、あたし、がまんできなくなっちゃったの。お家《うち》に帰りたくてしかたなかったの。息もできなくて、とても苦しかった。でも、なにもいえなかったの。恩知らずになっちゃうから〉

ここだけ見ると、田舎が善で都会が悪に見えますが、それはハイジの主観にすぎません。むしろ村の外に出て、都会の空気と文明に触れたことが、ハイジを大きく成長させた。第一部のタイトル「ハイジの修業と遍歴時代」とはそのことを指している。日本式にいえば、『ハイジ』の第一部は一種の「上京物語」なのです。

実際、病気でUターンを余儀なくされたとはいえ、盛大な見送りと、ペーターのおばあさんにあげる白パンと、クララが選んだ山のようなお土産と、ゼーゼマン氏からの多額の餞別、さらには道中をガードしてくれる召使いのゼバスティアンのエスコートつきで、彼女はアルムに戻ります。ほとんど凱旋と呼ぶにふさわしい帰還です。

ハイジが村にもたらした富と教養

で、物語の後半です。「ハイジは学んだことを役だてる」と題された第二部は、ハイジが出稼ぎ／留学の成果を、村にもたらす物語です。

　ハイジは二つの富をアルムに持ち帰りました。

　ひとつは文字通りの富です。ゼーゼマン氏に持たされた多額の金を、祖父は〈ベッドもきちんとできるし、服を何年分も買えるぞ〉といってハイジにわたしますが、ハイジはそれをペーターのおばあさんのために使おうと考えた。〈ペーターに毎日、パンをひとつ買うお金を、あたしからわたせばいいの。日曜日はふたつね〉。こうしてペーターの家の食生活は少しばかり改善されます。いわば「富の再分配」です。

　もうひとつは教養です。ゼーゼマン家で文字を学んだハイジは、ペーターのおばあさんの前で詩を朗読して感激させ、さらにあの偏屈じじいまで改悛させた。ハイジが祖父に読んでみせたのは聖書の「放蕩息子」の物語でした。帰ってきた放蕩息子を父があたたかく迎えたというこの逸話に祖父は自分を重ねて反省し、教会に行っていままでの不信心を牧師に詫び、冬の間はハイジと下の村で暮らすことも約束します。

　調子に乗ったハイジはさらに一計を案じます。よし、ペーターを教育してやろう！

〈あたしが、読み方を教えてあげる。まかせて。だから、ちゃんと勉強して、それからおばあさんに毎日詩をひとつかふたつ読んであげて〉

　一〇歳かそこらの少女が高校生くらいの少年に勉強を教えるのですからね。教育の差はかくも人生を左右する。かつて同程度に無知な野生児だったハイジとペーターの差は、いまや歴然。フランクフルトでの「修業時代」は彼女を確実に変えたのです。

都市がなければリゾートは成立しない

『ハイジ』の第二部は、アルプスの価値がクローズアップされる物語でもあります。

前にも申し上げたように、鉄道の敷設が進んだこの当時のスイスは、観光地として絶賛売り出し中でした。病んだ都会の「癒し」としての自然ゆたかな山。リゾート地は、都市の富裕層が存在してこそ、リゾート地たりうるのです。

ハイジは生まれながらの「アルプスの少女」ではなかったことを思い出すべきでしょう。幼い頃に町から来て山の美しさを彼女は「発見」し、大都会での暮らしを経験したからこそ、その価値を「再発見」した。フランクフルトの人々は考えたにちがいありません。この子が夢遊病になるほど恋い焦がれるアルムとはどんな場所なのか。

少女小説の主人公にはみなしごが多いと巻頭で申しましたが、『ハイジ』の場合、親を亡くしているのはハイジだけではありません。登場人物はみな、大事な家族を亡くした喪失感を抱えて生きている。父のいないペーターも、母のいないクララも、彼らを取り巻く大人たちもです。祖父母世代は、大切な娘や息子を失っている。そして都会の喧噪に疲れた人々は、ある日、ふと考える。そうだ、スイスに行こう!

　第二部で最初にアルムに登ってきたのは、お医者のクラッセン先生でした。妻亡き後、たったひとりの娘を亡くしたクラッセン先生は、立ち直れないほど憔悴していましたが、おんじとハイジのもてなしで、心身の健康を取り戻します。

　翌年の春には、ゼーゼマン家のおばあさまと仲良しのクララが、荷物を持ったおおぜいの行列を従えてアルムに登ってきます。おばあさまとおんじはすっかり意気投合しますが、おばあさまが麓《ふもと》の温泉保養地ラガーツに滞在する間、クララはハイジの山小屋にいていいといわれます。期間は一か月。ハイジとクララは狂喜します。

病んだ子どもを自然が癒す

『ハイジ』の登場人物はみな、喪失感を抱えた人物だと申しました、別言すれば、みな心身の傷を負っている。特異な環境で育ったペーターは発達障害気味ですし、クララは歩くことができません。クララの歩行困難は、日射量不足による「くる病」なのか、心因性(転換性障害＝昔の言葉でいうヒステリー)なのか。明示されてはいませんが、いずれにしても彼女もかなりの我慢を強いられているはずですし、何より筋肉は使わなければ萎縮します。真綿でくるむような生活が望ましいとは限りません。

ではハイジはどうか。一見、ハイジは健康的な少女に見えます。しかし、はじめてアルムに来た日から、ハイジのはしゃぎっぷりは度を超していました。何を見ても何を食べても大感動。偏屈な祖父も、友達のいないペーターも、目の見えないペーターのおばあさんも、ゼーゼマン家の人たちも、みな会ったとたん、ハイジにイチコロ。ハイジは初対面の人を一瞬にして虜にする天才です。

しかし、はたしてそれは健全なことなのか。むしろ異常な状態ではないのか。この子の言動を見ていると過剰適応という言葉が思い浮かびます。自分を犠牲にしても相手に合わせてしまう癖。常軌を逸した我慢強さ。彼女の夢遊病は、単なるホームシックを超えた、積年の無理がたたった結果ではなかったでしょうか。

つけ加えると、ハイジの過剰適応は、無意識の自己防衛本能、生存の知恵とも考えられます。一歳で父母を亡くし↓四歳までは祖母と叔母に育てられ↓祖母が亡くなった後は耳の遠い老女（ウルゼルばあさん）に預けられ↓一年後に秘境のようなアルプスの祖父の家に来て↓三年後には大都会のお屋敷へ行く。そのたびに環境も保護者も変わるわけで、大人の間をたらい回しにされた体験が、心身に影響を与えてもおかしくない。初対面の保護者に愛されなければ、だって彼女は生きていけないのです。

こういう「病んだ子どもたち」の心と身体を癒すものは何でしょう。

子どもは自然の一部である、よって子どもは自然のなかで動植物とともに育つべきである。このような教育観を提唱したのは、「幼児教育の父」と呼ばれる一八～一九世紀ドイツの教育学者フレーベルや、スイスの教育実践家ペスタロッチでした。都会で病んだ子どもが田舎の祖父母のもとで健康を回復するという物語は、今日の児童文学でもひとつの定石になっていますが、『ハイジ』はその先駆的な例。底に流れているのは自然崇拝の思想です。ゆえに『ハイジ』の舞台はアルプスでなければならないのです。

ペーターの嫉妬、クララの挑戦

物語に話を戻します。

山の暮らしにも慣れ、健康を取り戻したクララに、おんじはある日促します。〈さあ、お嬢さん、ちょっと地面に足をつけて歩けるか、ためしてみないかね〉。

傭兵上がりのじいさんは、戦地で上官の看護にあたったこともあり、クララのおばあさまをして〈あなたが看護のしかたを習った場所を教えてもらえたら、看護婦を今日にでも全員そこに送りたいものですわ〉と驚嘆させたほど、看護の腕には長《た》けていた。クララは歩けるはずだと彼はたぶん踏んだのです。けれどクララは及び腰。

事態を思いがけない形で進展させたのはペーターでした。

〈ペーターはかんかんに怒っていました。数週間前から、ハイジは相手をしてくれなくなりました。朝、ふもとから登っていくと、いつも車いすにすわったよその子がいて、ハイジはつきっきりです〉。自分からハイジを奪った街のやつらは、ペーターにとっては敵だった。そして彼は思いきった行動に出た。クララの車椅子を〈ぐいとつかんで、山の斜面から思いきり突きおとし〉たのでした。

あのペーターが嫉妬の感情を爆発させた。これは自分を解放する第一歩、大きな成長です。ただ、彼は自分の思いを伝える言葉をもっていません。その結果がこの行動だとしたら、ハイジにも非はあった。彼女らはペーターをのけ者にしたのです。

この荒療治はしかし、クララのチャレンジ精神に火をつけます。〈一度でいいから自分のことは自分で決めたいという気持ちが、心に大きくふくらんだのです。いつもだれかに助けてもらうだけでなく、ほかの人を助けられるようになりたいと思ったのです〉

そしてクララはハイジとペーターに両肩を支えられ、大地に一歩を踏み出します。

〈できたわ、ハイジ！　わたし、できた！　ほら、見て。歩けたわ〉

ここは『ハイジ』のなかでもっとも感動的なシーンといえましょう。

しかし、ペーターはおもしろくありません。自分の悪事がバレないか、彼はビクビクしていたのに、誰もそのことに気づかない。ハイジとクララのラブラブの関係も変わらない。

少女小説の世界では、少年は概して「格下」ですが、それにしたって、この無視のされ方はひどすぎます。ペーターに代わっていってやりたい。おーい、そこのお二人さん。クラはいったい誰のおかげで歩けるようになったと思ってる？

ハイジは出稼ぎ少女の星だった

資本主義という社会システムは、世界中に出稼ぎ者を生み出します。貧しい村から都市の工場へ、大量の人口が流入しました。少女も例外ではありません。お針子として、女中として、あるいは性労働者として、県境や国境を越えて、たくさんの少女が移動しました。一〇歳にも満たないハイジは労働者未満の存在ですが、彼女を襲ったホームシックは世界中の出稼ぎ少女と共通するものだったはずです。

しかし物語の後半で、ハイジは大きな果実を手に入れて故郷への帰還を果たし、故郷の人々に恩恵をもたらします。加えて都会の人々が故郷の美しさに憧れてやってくる。まさに彼女は「出稼ぎ少女の希望の星」です。

で、ラスト。お気づきのように、『ハイジ』は子どもたちと同じくらい老人の存在感が際立つ物語です。ハイジの祖父も、ペーターの祖母も、クララの祖母も、それぞれのやり方でハイジに示唆を与え、一方、老人たちはハイジから生きる力を得る。それが両者の関係です。ただ、老人はいずれいなくなる。

物語（第二部）の末尾で、おんじは、クララが快癒したお礼をというゼーゼマン氏に、自分が死んだ後のことを託します。〈ゼーゼマンさん、ハイジが一生、他人のほどこしに頼らないですむようにすると約束してくれないでしょうか〉

二つ返事で快諾した後、ゼーゼマン氏は、ハイジにはもうひとりの後見人がいることを伝えます。氏の親友でもあるクラッセン先生です。先生はハイジをいずれは養女にしたいと望み、余生をこのあたりで送ろうと、下の村に引っ越す準備をはじめていた。〈ですから、ハイジには保護者がふたり、そばにいることになります〉と氏はいいます。

ハッピーエンドです。しかし、しょうもないハッピーエンドだ。

作者はハイジの将来に保険をかけたのでしょう。後見人が二人もいれば、ハイジは生活に困らず、将来的には高い教育を受ける経済的な保証もできる。ですがハイジとて、いつまでも子どもではないのです。いつか祖父が亡くなれば、晴れて自由の身になれる。それなのに二人も父親役がいるなんて、考えただけでおぞましい。

もっともあのハイジが二人の援助に一生頼るとは思えません。成人した後は、父親気取りの老人二人を説き伏せて、もっと広い世界に出ていくのではないでしょうか。

女の子のビルドゥングスロマンとは

少女小説は基本、少女の成長を描いた物語です。しかし『ハイジ』は少女の成長の裏にある近代の現実を教えてくれます。牧歌的な野生児の物語どころか、これは過酷な資本主義社会を健気《けなげ》に生きる子どもたちの物語というべきでしょう。

そこまで考えて、はじめて『ハイジ』が放つメッセージが浮かび上がります。

『ハイジ』の表向きのメッセージは「自然がいちばん」「故郷がやっぱり最高だ」です。それは近代の市民社会の価値観、都会の暮らしに疲れた人々のニーズとも合致します。が、それは見せかけのメッセージ。作品の真意はズバリこれでしょう。

かわいい子には旅をさせよ。

少女よ、臆せず故郷の外へ出よ！　その体験はいつか必ず君の力になる。

都市で「修業と遍歴の時代」をすごしたからこそ、ハイジは村で「学んだことを生かす」ことが可能になった。近代とはそういう時代です。

『ハイジ』はここで終わりなので、成人した三人がどうなったかは不明です。

しかし、あえて想像するなら、父の事業と財産を引き継いだクララは、存外、やり手の実業家になりそうな気がします。クララは聡明な少女です。読者の目には敵に見えても、ゼーゼマン家を取り仕切るロッテンマイヤーさんの職業婦人としての見識は、甘いだけの父親より、よほど彼女に影響を与えたはずなのです。

ペーターは少年時代の不幸な記憶をバネに、やがて村を出、アウトローとして裏社会でのし上がりそうな気がします。彼は発達障害ぎみの少年ですが、こういうタイプの子は「化ける」可能性がある。ハイジとの結婚？　ないない。あるわけないでしょう。遠い将来、故郷を懐かしんで、ハイジやクララを思い出すことはあってもね。

思うにペーターという一度も村から出たことのない「陰」の存在があるからこそ、ハイジという「陽」の存在が輝くのだと私は思います。もしもこの少年がいなかったら、またはこの子が『若草物語』のローリーみたいな「使える少年」だったら、『ハイジ』はずっと単調で平板な小説だったにちがいない。

ビルドゥングスロマン＝教養小説は通常、男子が長い旅に出て、さまざまな苦悩や挫折の体験を重ねて自我を確立させる物語です。でもそれは、男の子の専売特許ではないと、『ハイジ』は主張します。たった五～九歳の「みなしご」の女の子を主役に、教養小説をやってみせたことが『ハイジ』の大きな功績だった。ゲーテもかくやの大げさな副題も、ペーターがとことん頼りなく使えない少年に設定されているのも、本筋のビルドゥングスロマンを茶化す意図が、あるいは含まれていたかもしれません。

4

女の子らしさを肯定すること

モンゴメリ『赤毛のアン』

Anne of Green Gables

1908

ルーシー・モード・モンゴメリ（一八七四〜一九四二）

カナダのプリンスエドワード島で生まれる。一歳九か月で母を亡くし、母方の祖父母のもとで育つ。地元のカレッジを出て一九歳で教員となり、教職のかたわら執筆活動をスタート。何社にも断られた『赤毛のアン』の原稿をアメリカ（ボストン）の出版社に送って採用され、たちまちミリオンセラーとなった。三六歳で長老派教会の牧師と結婚。二人の息子の出産後も旺盛な作家活動を続けるが、私生活では鬱病に悩み、二〇〇八年、死因は服毒死だったことが発表された。

★『赤毛のアン』村岡花子訳、初訳一九五二年／村岡美枝補訳、新潮文庫、二〇〇八年

日本で特に人気の高い物語

数ある少女小説のなかでも、ルーシー・モード・モンゴメリ『赤毛のアン』（一九〇八年）は日本でとりわけ人気の高い作品といっていいでしょう。

原題は「アン・オブ・グリーンゲイブルス（緑の切妻屋根の家のアン）」。物語の舞台はカナダの東部、セント・ローレンス湾内のプリンス・エドワード島。時代は作者の少女時代とも重なる一八八〇～九〇年代初頭と推定されます。

英語圏では出版後すぐベストセラーになりましたが、日本語訳が出版されたのは戦後、原著の出版から半世紀近くたった一九五二年のことでした（この原題に『赤毛のアン』という邦題をあてたのは訳者の村岡花子です）。

以後、ロングセラー街道を走り続け、日本は世界でもっとも『赤毛のアン』フリークが多い国、といわれるほどになりました。たしかに本格的な作品論から写真集や料理ブックの類いまで、日本では数多くの関連書籍が出版されていますし、プリンス・エドワード島は今日でも日本人女性にたいへん人気のある観光地です。

主人公のアン・シャーリーは両親を亡くしたみなしごで、おてんば少女の代表格。人気作品らしく続編が次々書かれ、二作目の『アンの青春』から最終話の『アンの想い出の日々』まで、全一一巻（長編だけでも九巻）の大河小説に発展しました。

とはいえ、モンゴメリが当初構想していたのは正編の『赤毛のアン』だけでした。長いシリーズのなかで少女小説と呼べるのも、この一冊だけです。

ここでは主人公のアンの一一歳から一六歳までの五年間が描かれています。さあ、この小説の何が（特に日本の）読者をひきつけたのでしょうか。

まちがって引き取られた女の子

プリンス・エドワード島のアヴォンリー村に、主人公のアン・シャーリーがやってくるところから物語ははじまります。アンはグリーンゲイブルス（緑の切妻屋根の家）と呼ばれる家に引き取られたのでした。この家の住人は初老の兄妹です。兄のマシュウ・クスバートは六〇歳。妹のマリラ・クスバートは五〇代。二人とも独身で、マシュウは内気で女性が苦手。マリラは見るからに神経質な女性です。

事件はいきなり冒頭で起きました。一〇か一一の男の子ならマシュウの農作業の手伝いもできるだろうと、二人は孤児の男の子を引き取りたいと希望していたのです。

ところが駅に現れたのは女の子だった。

アン・シャーリー、一一歳。〈きわだって濃い赤っ毛が、二本の編みさげになって背中にたれていた。小さな顔は白く、やせているうえに、そばかすだらけだった。口は大きく、おなじように大きな目は、そのときの気分と光線のぐあいによって、緑色に見えたり灰色に見えたりした〉。そんな子です。

アンの最大のコンプレックスは赤い髪です。髪のことを考えると〈胸がはりさけそうになるのよ。生涯の悲しみとなるでしょうよ〉と彼女はいいます（本には書かれていませんが、ちなみに赤い髪は聖書の世界の裏切り者のユダやカインの髪色とされ、キリスト教文化圏では忌避や差別の対象でした）。

どこかの家の子になることに憧れていたアンは、期待に胸をふくらませていましたが、いきなりの大誤算。アンは絶望のどん底に突き落とされます。

〈あたしをほしくないいんだ。男の子じゃないもんで、あたしをほしくないいんだわ。やっぱりそうだったんだわ。いままでだれもあたしをほしがった人はなかったんだもの〉

あまりに派手な泣きっぷりに驚いたマリラは〈もう泣きなさんな。なにも今夜あんたを追いだすというのではないからね〉と、しかたなく声をかけます。

それなら何が何でもこの家で暮らしたい！　ここからアンの戦いがはじまるのです。

並外れたトーク力と想像力と演技力

その前に、容姿以外のアンの特徴をもう少し。

第一にこの子は口から先に生まれてきたような子です。機関銃のように、のべつしゃべりっぱなし。しゃべりだしたらもう止まりません。

第二に、この子は並み外れた想像力の持ち主です。四六時中、自分がああだったらこうだったらと想像しながら生きている。『小公女』のセーラの空想癖もたいがいでしたが、アンの場合は、思いついた先から、それをいちいち口に出す。

馬車で迎えにきたマシュウ相手に、アンはしゃべりまくります。

自分の服はみすぼらしいが〈このうえなく美しい、うすい空色の絹の着物を着ていることにしたの〉〈花や、ゆらゆらしている羽根かざりがいっぱいついている大きな帽子をかぶって、金時計を持って、キッドの手袋や靴をつけてることにしたの〉。

花と緑でいっぱいのアヴォンリーに彼女は魅了されますが、感動のあまり、並木道には「歓喜の白路」、池には「輝く湖水」、果樹園から森に続く道には「恋人の小径」と名前をつけて、それをいちいち発表せずにはいられない。

つけ加えておくと、一一歳とは思えないほどアンは詩や文学に通じています。具体的には描かれていませんが、これだけ豊かな想像力と表現力を持っている以上、文字を早いうちに覚え、成長過程のどこかで本に親しむ環境があったのだろうと推測されます。

第三に、彼女は天性の女優ともいうべき演技力の持ち主です。

女の子はいらないと宣告されて泣きじゃくったのもつかのま、すぐには追い出さないとマリラにいわれたアンは、てのひらを返したように要求します。〈あたしをコーデリアと呼んでくださらない？〉〈すばらしく優美な名前なんですもの〉。ほんとの名前をいいなさいと命じられても、〈アンという名で呼ぶんでしたら、eのついたつづりのアンで呼んでくださいい〉。さっきまで泣いていたのは芝居だったのかと思うほど。何かにつけて、この子は芝居がかった物言いを好むのです。

じつはみなしごの就活小説だった

話を戻します。一見すると『赤毛のアン』は、元気で快活な女の子が次々おもしろい事件を起こしながら成長していく物語に見えます。しかし、はたしてそれだけか。少し引いた視線で眺めれば『赤毛のアン』は、みなしごの少女が自身の居場所を確保するための戦いの物語。よりカジュアルにいえば一種の「就活小説」です。

就活の第一段階はもちろん、マシュウとマリラの心をつかみ、グリーンゲイブルズに住む権利を得ること。「家活」というべきこのミッションは、意外に早く達成されます。馬車の上での果てしないおしゃべりがマシュウの心を動かしたのでした。女嫌いのじいさんに〈この子のおしゃべりは気に入ったわい〉と思わせたのですから、たいしたものです。

延々と続くアンの駄弁に辟易し、〈後生だから、黙りなさい。小さなこどもにしてはまったくしゃべりすぎる〉と口にしていたマリラも、最終的には根負けし、アンを家に置き、自分の手伝いをさせることにしてしまった。

いっちゃなんですが、クスバート家は気むずかしい初老の兄と妹だけで、あとは枯れていくだけの退屈な家庭です。そこに、こんなにぎやかな子が来たら、「ちょっと置いておこうか」と思っても不思議ではありません。〈おもしろいより、役にたつほうがいいんですよ〉とマリラはいいますが、「おもしろい」ことも生きる術《すべ》としては有効です。ともあれこうして彼女は最初の難関を突破したのです。

余談ながらクスバート家は、夫婦と子どもという近代家族とは形態の異なる家族です。アンが暮らしていく上で、これはラッキーな、あるいは不可欠な環境だったといえます。もしもマシュウとマリラが夫婦だったら、二人とアンは親子関係に近づいて、複雑な愛憎が生まれ、アンの精神的な自由は失われたでしょう。家を仕切っているのはマリラ。アンの養育の責任者もマリラ。マシュウはやがてアンの最大の理解者になりますが、それは彼が「父親」の役目を負わなくていい無責任な立場でいられたためと想像されます。女性が事実上の家長である家。規格外のアンにはまことにおあつらえ向きでした。

アン、顔役の女性を陥落させる

就活は続きます。

『赤毛のアン』の不思議のひとつは、孤児であることを理由に、彼女が地域社会で差別されたり学校でいじめられたりするくだりが、一切ないことです。容姿や行動をからかわれることはあっても、「やーい、みなしご」とはやしたてられることはない。たまたま村人がいい人ばかりだったからでしょうか、いやいや、それもアンが自らの手で「いじめられない環境」を整えることに成功したからです。

アンのコンプレックスである赤い髪をめぐる最初の事件。それはご近所のリンド夫人との間で起こりました。夫人はこの近辺の事情通で、マリラに「素性の知れない孤児を家に入れるのはやめておけ」と意見した人物でもあります。

この夫人が、はじめてアンに会うなりいったのです。〈この子はおそろしくやせっぽちだし、きりょうがわるいね〉〈まあまあ、こんなそばかすって、あるだろうか。おまけに髪の赤いこと、まるでにんじんだ〉

この一言でアンはぶち切れた。〈よくもそばかすだらけで、赤い髪だなんて言ったわね。あんたみたいに下品で、失礼で、心なしの人を見たことがないわ〉。勢い余って〈でぶでぶふとって、ぶかっこうで、たぶん、想像力なんかひとっかけもないんだろうって、言われたらどんな気持？〉とまでいい放った。

一晩反省しなさいとマリラに命じられたアンは、翌日、マリラに連れられてリンド夫人に謝罪に行きます。アンの長広舌が炸裂します。

〈ああ、小母さん、どうぞ、どうぞ許してくださいな。もしも許していただけなかったらわたくしは一生涯、悲しみつづけるでしょう。たとえ、おそろしいかんしゃくもちだとしても、かわいそうな孤児に生涯の悲しみを負わせようとは、なさらないでしょう？〉

この芝居がかった謝罪トークに、夫人はまんまと籠絡され、最終的には〈たしかに変わった子ですよ。だけれど、どこか人をひきつけるところがあるね〉という評価を下したのでした。〈全体として、あの子は気に入りましたよ、マリラ〉

マイナス評価をプラスに変える、おそるべきリカバリー力。帰り道で、アンはマリラに自分の演技力を自慢します。〈あたし、かなり上手におわびをしたでしょう？〉〈どうせ、あやまるんなら、徹底的にあやまったほうがいいと思ったの〉

過酷な幼少時代がアンの力を養った

口が達者で演技が上手。というと計算高い嫌なガキと思われるかもしれません。実際、天真爛漫な表層とは裏腹に、彼女には嫌なガキの部分もあるのですが、それは彼女の幼少時代の経験が関係していると見るべきでしょう。

アン自身が語ったところによれば、父は高校教師、母も結婚前は教師だったが、アンが生まれた三か月後に二人とも熱病で亡くなった。やむなくアンは血縁関係のないトマスおばさんに引き取られ、四人の子どもの世話をしながら八歳まで暮らしたが、トマス氏が亡くなって、今度は三組のふたごを含む八人の子どもがいるハモンドおばさんの家に行った。そこで二年以上をすごすもハモンド氏も亡くなって、ハモンド家の子どもたちはバラバラになり、アンは孤児院に行った。〈どこよりも孤児院がいちばんいやだったわ〉とアンはいいます。〈たった四カ月しかいなかったけれど、こりごりしたわ〉

両親亡きあと「子守り」という住み込みの児童労働を二軒の家でして、そのあとは孤児院に厄介払い。一般家庭で暮らしたいと望むのは当然でしょう。というより、ようやく訪れたチャンスをものにしなければ、もう一度、彼女は孤児院に戻されるのです。

マイナスからの出発。これは生存をかけた戦いです。

アンの並外れた想像力は『小公女』のセーラと同じで、現実を忘れるための知恵だったかもしれない。しかし類い稀なるトーク力と演技力は、生きるための術。過酷な環境の中で自らの希望をかなえるためのぎりぎりの処世術ではなかったでしょうか。

アン、「腹心の友」をゲットする

就活の話に戻ります。村の顔役であるリンド夫人を味方につけたのは、アンが地域社会で生きていく上で大きな意味を持ちます。この夫人が味方なら、村の人々の口さがない噂話はシャットアウトされ、孤児であることに引け目を感じることなく、彼女は臆せず地域共同体で暮らしていける。いうならば「地活」です。

そしてこのあと、アンは、最後のカードを手に入れます。ダイアナ・バーリーという、ご近所に住む同い年の友達を得たことです。つまり「友活」です。

二人の関係は、ほとんどプロポーズのような形で、アンが交際を申しこんだ（？）ことからはじまります。初対面のダイアナに芝居がかった調子でアンは迫ったのでした。〈あんた、永久にあたしの友達になるって、誓い《スウエア》をたてられて？〉。さらに、彼女の手をとって〈太陽と月のあらんかぎり、わが腹心の友、ダイアナ・バーリーに忠実なることを、われ、おごそかに宣誓す〉〈さあ、あんたも〉。

突然の誓いを強要されたダイアナは面くらったはずですが、〈あんたって変わってるわね〉〈でもあたし、ほんとうにあんたが好きになりそうだわ〉といってくれた。

やったあ！　生まれてはじめて生身の人間の友達を得たアンはもう有頂天。とはいえ、これとてアンにとっては死活問題。

考えてみてください。やがてアンは学校に通いはじめますが、同じクラスに友達がいるかいないかで学校生活はまるでちがう。なにしろアンとダイアナは永遠の友となる誓いまで立てた「腹心の友」なのです。アンが学校で仲間外れにもいじめにもあわずにすんだのは、事前に「ダイアナの親友」という地位が確保されていたからでしょう。

こうしてみるとアンはけっして天然のおてんば少女ではありません。意識的にか無意識にか、生きるためには何が必要で、誰を味方にすべきかを、彼女は知っていた。「家活」「地活」「友活」によって、健康的で文化的な最低限度の生活を営むための環境をアンは自ら勝ち取った。その意味で『赤毛のアン』はやはり戦う少女の物語なのです。

パフスリーブ事件が象徴するもの

しかし半面、アンは、美しいもの、ロマンチックなものが大好きです。換言すれば、彼女は少女趣味の少女、女の子アイデンティティの高い子なのです。

男の子になりたいと公言する『若草物語』のジョーとのいちばんのちがいはそこにあります。もしジョーがアンと同じ立場で「女の子はいらない」といわれたら、「バカにしないで。あたしは男の子と同じように働ける！」とアピールしたにちがいない。でもアンは男の子になりたいとは、これっぽっちも思っていません。

なにしろ彼女は〈どうかあたしをグリン・ゲイブルスに置いてください。それからあたしが大きくなったら美人にしてください〉と神に祈るような子なのです。自分の容姿が気になってしょうがないし、ファッションにも大きな関心をもっている。

象徴的なのが「パフスリーブ事件」でしょう。日曜学校に行くためにマリラが仕立てた三着の服に、生意気にもアンはダメ出ししたのでした。

〈もし、この中のたった一つだけでも、ふくらました袖にしてくださったら、もっと、もっとありがたかったんだけれど〉とアンはいいます。〈パフスリーブの服を着たら、なんともいえなくうれしくて、ぞくぞくっとすると思うわ〉。

質実剛健、質素倹約を旨《むね》とするマリラにはバカげた話でしかありません。

一八九〇年代のカナダでは実際にもパフスリーブが流行していました。ですが後世の読者からすると、ふくらんだ袖は純然たる装飾を目的としたフェミニンなファッションの一種。そしていまもむかしも大人、特に堅実さを好む母親は、ひらひらに飾り立てた子どもの華美な服装を嫌います。マリラの判断は養育者としては正しいのです。

しかし子どもはちがいます。読者もみんな本当は、アンのようにいいたかったのではないでしょうか。あたしの服もふくらんだ袖にして！

女の子向けの可愛い服なんて、かつての日本には売ってませんでしたからね。リボン、フリル、レース、ギャザー、ふくらんだ袖。みんな憧れの的だった。

この一件は後日、マシュウに大胆な行動を取らせます。一年半後の冬、マシュウは一念発起、クリスマスに服をプレゼントしようと町を右往左往したあげく、あのリンド夫人を訪れたのでした。アンに服を新調してやりたい。ついては〈袖を新流行でやっておもらい申したいんですが〉。夫人は請け合いました。〈ふくらますんでしょう、よござんす。ご心配にゃおよびませんですよ。最新流行の型に仕立てますからね〉

出来上がった服を見て、アンが狂喜したのはいうまでもありません。

アヴォンリーに来るまで、アンは美とも流行の服とも無縁の生活をしてきたはずです。半面、文学に親しむ環境が彼女にはあった。情報と現実の激しい乖離。ロマンチックなものへのアンの過剰な憧れは、幼少期の体験に起因するように思われます。

アンのギルバート殴打事件

ふくらんだ袖に象徴されるフェミニンなファッションの意味については、もう少し考察が必要なのですが、それは後まわしにして、話を先に進めます。

『赤毛のアン』は「家庭小説」であると同時に「学園小説」でもあります。

春にプリンス・エドワード島にやってきたアンは、九月からいよいよ地元アヴォンリーの学校に通いはじめます。カナダでは一九世紀半ばに無償の教育制度がスタートしましたが、アヴォンリーのような人口の少ない村では、学習習熟度別に六歳～一六歳の子どもたちがひとつの教室で学ぶスタイルをとっていました。しかも学校は男女共学。『赤毛のアン』が日本で特に人気がある理由のひとつはこれでしょう。アンを取り巻く教育環境は、戦後の日本の小中学校とよく似ているのです。

そしてまもなく、アンの赤い髪をめぐる二度目の事件が起きます。

ある日、アンのクラスにとある男子が復学してきます。アンの二歳上、もうじき一四歳になるギルバート・ブライス。成績優秀で女の子にモテモテの少年でした。

この少年がアンの地雷を踏んでしまった。あろうことか彼はアンの赤い毛をとらえ、〈低い声ではっきり聞こえるように「にんじん！　にんじん！」と言った〉のでした。

アンは激怒します。〈「卑怯な、いやな奴！　よくもそんなまねをしたわね！」とアンは、激しくなじった。そして――バシンと自分の石盤をギルバートの頭にうちおろして砕いてしまった――頭ではない、石盤を真っ二つにしたのである〉

『赤毛のアン』という小説の白眉は、まちがいなくこの場面でしょう。少女小説界広しといえども、男子の頭を硬い物で殴ったのはアンだけです。

外見をからかうのはルール違反ですから、ここでアンが本気で怒ったのは正しい反応です。ですが、暴力を行使したらどちらが悪いかわからなくなる。しかし彼女は殴ったことを謝らなかった。謝ったのはギルバートのほうでした。

〈きみの髪をからかったりしてぼく、ほんとうにわるかったよ〉。ギルバートが何度謝っても頑として耳を貸さず、アンはきっぱりいいきります。〈あたしけっしてギルバート・ブライスを許さないの〉

アン、登校をボイコットする

この一件は、この後の『赤毛のアン』の雰囲気を決定づけることになります。

物語の定石だと、こういう出会い方をした男女はのちのち「くっつく」ことに決まっているので、恋に恋する乙女な読者はドキドキしながら次の展開を待ちますが、この種の異性愛神話にホイホイ乗るほど作者のモンゴメリは親切ではありません。

たしかにギルバートはアンに気があったかもしれない。しかしアンは、一貫して彼を拒絶し続けます。それはもう頑固なほどに、です。

注意すべきはギルバート殴打事件のあと、アンが大きな屈辱を味わっていることでしょう。ギルバートを叩いたアンは、罰として〈アン・シャーリーはかんしゃくもちです〉と書かれた黒板の前に立たされ、しかも翌日、男子にまじって教室に駆けこんだために、

〈あなたは男の子たちといっしょにいるのがお好きのようだから〉という理不尽な理由で男子、それもギルバートの隣に座らされた。

教師に侮辱されたと感じたアンは、〈あたし、もう学校には戻らないつもりよ〉と宣言し、抗議のストライキよろしく、本当に登校をボイコットします。

ギルバートとの一件と、その後のフィリップス先生の事後処理は、男子に対するアンの感情を決定的に害し、『赤毛のアン』における男子の地位を下落させました。そもそも島に来た日に、「女の子はいらない」とアンは宣告されたのです。男の子に対するウラミは骨髄。ひと言でいうと男子は「敵」あるいは「部外者」です。まもなく学校には復帰したものの、この日からじつに五年も、アンはギルバートを無視し続けるのです。

ウザイ男子を排除した女の園

半面、アンは女の子に対する愛情は惜しみません。

マリラを別にすれば、アンの愛情をひとり占めにしたのはダイアナです。ダイアナは、アンと同じようにロマンチック好きな少女ですが、アンとはちがって黒い髪とバラ色の頬をもち、すてきな服を着ていて、おうちも裕福。ダイアナはこれといった個性のない凡庸な子ではありますが、その分、規格外のアンには理想の少女に見えた。

〈あたしとてもダイアナが好きなのよ、マリラ。ダイアナなしじゃ生きていられないの。でも大きくなればダイアナはお嫁に行ってしまって、あたしをおいてきぼりにしてしまうってこと、わかってるんですもの。そうしたら、ああ、どうしたらいいかしら？　ダイアナの旦那さんを憎むわ――ひどく憎むわ〉

ダイアナの母に交際を禁じられた際の別れの惜しみ方も尋常ではありません。

〈「ああ、ダイアナ、たとえ、もっと親しい友が汝をいつくしもうとも、汝の若かりしころの友を忘れないと、かたく約束してくださる？」／「しますとも」ダイアナはすすり泣いた。「それにまたと腹心の友はもたないわ――もとうなんて気にはならないわ。どんな人だって、あんたを愛したようには、愛せないもの」〉

大げさは大げさですが、同性同士の強い結びつきはそう珍しいことではなく、発達心理学では思春期前半に特有な同性、特に女子同士の親密な関係を「チャムシップ」「チャム体験」とも呼ぶそうです。アンとダイアナの関係もそれ。この後、アンはさまざまな珍事を起こし、そのたびに大げさに反省したり後悔したりしますが、それらがすべて女子のコミュニティの中の出来事であることに注目すべきでしょう。そこにあるのは「ウザイ男子」を排除した女の子だけの世界です。

ちなみにアンを教室で立たせ、彼女に理不尽な罰を与えて登校拒否のきっかけをつくったフィリップス先生は、半年後に（生徒たちと大げさな別れの儀式までして）学校を自ら去ります。権威権力をふりかざす男は無視されるか、途中で選手交代させられる。『赤毛のアン』の世界では「女高男低」が徹底されています。ビバ、女の園！

アン、二度目の「就活」に挑む

さて、そうはいっても子どもは必ず成長します。『赤毛のアン』ほど、少女期からの卒業というテーマをクリアに打ち出している少女小説もありません。

一五歳になり、背丈がマリラを追い越したアンを見て、ある日、マリラは慨嘆します。〈なんてまあ、アン、あんたは大きくなったんだろう〉。そしてあんたは前の半分もしゃべらない、どうしたのかと問うマリラに当のアンは答えるのです。

〈わからないわ――あまり、しゃべりたくないのよ〉

ここにいるのはもう、機関銃のようにしゃべりまくり、空想の世界に生き、芝居がかった台詞で人を煙《けむ》に巻く、あのアンではありません。

物語の序盤（一～十四章）をアンが自らの居場所を獲得するまでの「就活物語」、中盤（十五～二十七章）がおもしろおかしい事件を中心とした「女の花園物語」だとすれば、物語の終盤（二十八～三十八章）は「脱少女の物語」です。

ここに至ってアンはいよいよ進路の選択を迫られます。彼女が選んだのは戦後の日本の女の子と同じ。上の学校への進学とそのための受験勉強でした。

グリーンゲイブルスに来て三年目、一四歳になったアンはフィリップス先生に代わって着任したミス・ステイシーの〈よくできる生徒の中から、クイーン学院の受験準備をしたい者のためにクラスをつくりたい〉という提案に応じて、進学クラスに入ります。

上の学校に進学して教員の免状を取る。〈それこそ、あたしの生涯の夢だったのよ〉とアンはいいます。〈いままでよりずっと勉強にはりあいが出てきたわ〉

ここからアンの戦いは勉学一本に絞られます。いわば二度目の「就活」です。

この選択は彼女の人間関係まで変質させることになります。親友のダイアナは進学クラスに入らなかったのです。ダイアナは美しい気だてのよい子ではありますが、新しいことに挑戦しては失敗と反省をくり返すアンに比べると、あまりにも凡庸です。二人の友情は最後まで一応キープされますが、進路が分かれた時点で疑似恋愛に近い関係は卒業、二人の友情は変質したと見るのが妥当でしょう。

かわってアンの中で浮上してきたのが成績優秀で、いつも首席を争っているギルバートだった。彼はこの時点から敵から対等なライバルに格上げされたのです。

アン、大学への進学を断念する

で、第二の就活の結果はどうなったか。

受験勉強に励んだ結果、めでたくアンはクイーン学院にトップで合格（もうひとり同点でトップだったのはギルバートでした）。教員免許を取得すべく、アヴォンリーを出て、一年間の学生生活を送ります。そして在学中に次の目標を見つけます。

新しい夢は最高学府である大学への進学でした。〈エイヴリー奨学金を獲得して、レドモンド大学の文学部にはいり、ガウンと大学帽をまとって卒業する〉。〈あたしが文学士になったら、マシュウ小父さんがどんなによろこぶかしら。ああ、野心をもつということは楽しいものだわ。こんなにいろいろと野心があってうれしいわ〉

ところが、アンはその「野心」を断念するのです。

原因はマシュウの突然の死でした。全財産を預けていた銀行が破産したショックで、心臓病を抱えていたマシュウが急死。自らも失明の危険のある眼病を患ったマリラは、グリーンゲイブルズを売ることを決意します。そして奨学生に選ばれていたにもかかわらず、アンは大学への進学をあきらめ、マリラのそばで地元の教師になる道を選ぶのです。

この展開と結末は、割り切れない思いを残します。なんで？　なんでそんな中途半端な道を選ぶの？　あんたはもっと先に進むべき子じゃないの？　マシュウの死というアクシデントがあったとはいえ、アンの選択は一種の妥協といえます。

マシュウはどうして「殺され」た？

同じように感じる人は多かったのでしょう。『赤毛のアン』の結末はのちに議論となり、ことに九〇年代以降、批判的に論じられることになりました。

横川寿美子『「赤毛のアン」の挑戦』（一九九四年）は、アンの選択が常に受動的で葛藤がないことを指摘し、〈夢にしろ目的にしろ目標にしろ、アンのめざすところのものは常に第三者によって偶然に提示される。彼女はそれを受動的に採用するだけである。そして、そうして採用されたものは、これまた偶然としか言いようのない出来事によって、良くも悪くも、いとも簡単にくつがえされてしまう〉と述べています。

小倉千加子『「赤毛のアン」の秘密』（二〇〇四年）はもっと強烈。アンがアヴォンリーにとどまる原因となったマシュウの死をとらえて小倉はいいます。〈子どもが成長し、学校で優等生になり、親の自慢の大人になる――そんな性別を無視した成長をモンゴメリはアンに許さなかった〉、だから〈マシュウはモンゴメリに殺されたのである〉。〈マシュウの死は、アンを結婚という「終着駅」に辿り着かせるためにのみ存在する〉と。

大人の男性が作者の手で「殺される」のは、そもそも少女小説の常套手段です。ただ、マシュウは消されたほうがいいような抑圧的な人物ではありません。

マシュウが息を引き取る前日、自分が男の子だったらもっとマシュウを助けられたのにと申しわけながるアンに対して、マシュウはいいます。

〈そうさな、わしには十二人の男の子よりもお前一人のほうがいいよ〉〈エイヴリーの奨学金をとったのは男の子じゃなくて、女の子ではなかったかな？　女の子だったじゃないか——わしの娘じゃないか——わしのじまんの娘じゃないか〉

ここにはかなりラジカルな思想が含まれています。マシュウはアンに女子のジェンダー規範に合致した「孝行娘」であることを求めてはいない。おまえは優秀な女の子だ、女だからといって妥協するな、と彼は激励している、そんな危険思想の持ち主だからマシュウは作者に殺されたのだと、小倉千加子は述べているわけです。

戦後日本の女子の生き方に似ている

『赤毛のアン』の結末問題は、戦後の日本と重ねて考えるとより鮮明になります。勉強に励んで上の学校に進学することと、女子力や家事能力を高めてよき妻よき母になること。二つの目標が、戦後の少女には求められました。前者の先には職業的な成功が、後者の先は家庭人としての幸福が待っている。しかし二つの道の間には矛盾があり、また職業の受け皿が不完全である以上、女子はどこかで妥協を強いられる。

アンも同じでした。大学への進学をあきらめ、「そこそこの達成」を選んだアン。

こうやって女は「そこそこの達成」や「そこそこの自己実現」で満足しろと教えられるのよねって話です。「あんたは東京の大学ではなく地元の女子短大に行きなさい」式の選択肢が、高度成長期の日本にはたしかにありました。男女平等のタテマエと男尊女卑の現実に引き裂かれた戦後日本のイデオロギーに『赤毛のアン』は合致します。

問題はしかし、この結末は本当にダメなのかです。

まずひとついえるのは『赤毛のアン』が「安全な読み物」だったから市民社会に受け入れられ、少女にも受け入れられたということです。もともと良妻賢母教育のツールとして開発された家庭小説なのですから、四の五のいってもはじまらない。

ですが、より本質的な問題は、もしアンが難なく大学に進学し、出世街道を走り出したらどうなのか、です。そんなのはもう「おとぎ話」で、アンは類い稀なる成功者、「あっち側の人」になってしまう。女子でも男子でも、進学や就職に挫折はつきものです。家庭の事情で進学を断念した子も多かったことを思えば、地元の学校教師になって賃金を稼ぐというアンの選択は、必ずしも「女ゆえの妥協」とはいえないでしょう。

ちなみにですが、続編の『アンの青春』で、アンは念願のレドモンド大学への進学を果たしています（この頃にはコンプレックスだった赤い髪も茶褐色に変わり、スレンダーな美女に成長したという、いささか都合のいいオマケつきで）。遠回りはしても、人がいうほどアンは妥協していないのです。ただ、それはあくまで後の話。この時点ではむしろ、挫折が重要なのです。

ギルバートとの恋愛をどう見るか

では、もうひとつの案件、ギルバートとの関係はどうなったか。

少女小説において恋愛はご法度だと申しました。「にんじん」といわれて許さないと誓った日から、アンは断固ギルバートを無視し続けます。

たった一度、ニアミスを起こしたのは、ロマンチックな物語の真似をした遊びで、アンを乗せた小船が浸水し、命からがらアンが橋桁《げた》にしがみついたときでした。アンに助けの手を差し伸べたギルバートは、ここぞとばかりに和解を提案します。

〈ねえ、僕たち仲よしになれないかしら？〉

アンは一瞬〈熱心な表情をたたえたギルバートの褐色の目がなんてすてきな感じなのだろうと、いままでにない妙な気持を覚えた〉ものの、二年前の怒りを思い出し、〈いいえ、あたし、あなたとはお友達になりませんよ〉とつっぱねた。以後アンは、ギルバートを勝手にライバルと見定めて勉学に励むのです。

敵から好敵手に昇格したギルバート。前にも述べたように、どうせこの二人はくっつくだろうと読者は想像します。が、少なくとも『赤毛のアン』というテキストにおいて、作者は二人の関係が進展するのを頑として拒みます。よってギルバートの出番は思いのほか少なく、二人が和解にいたるのは、なんと本書の最終章なのです。

アンと同時にクイーン学院を卒業したギルバートは、自分が着任するはずだったアヴォンリーの学校教師の口をアンに譲り、自分は離れた村の学校に行くと決めたのでした。〈あたしのために学校をゆずってくださってほんとうにありがとうございます。あたし、とてもうれしかったんです〉。〈なに、べつにたいしたことじゃないんですよ〉と色男は答えます。〈これからは友達になろうじゃないの？　僕の昔のことを許してくれる？〉

ことここに至って、しかし二人はまだ友達にすらなっていません。友達になろうと決めただけです。『赤毛のアン』は本来、ここで終わりでした。

続編以降を知っている読者は（そして多くの『赤毛のアン』論も）、やがて二人が恋仲になり、結婚することを前提に論を進めようとします。ですが、それは先走りすぎってものでしょう。心の底ではギルバートを意識しながらも、〈ギルバートにたいするアンの気持にはみじんもばかげた感情はまざっていなかった。男の子はアンにとってよい戦友でしかなかった〉という語り手の判断を私は支持します。

憎からず思っている男の子を五年間も敢然と無視し続ける。少女小説たる『赤毛のアン』の矜持《きょうじ》はむしろ、そっちにあるというべきでしょう。

つけ加えると、アンとギルバートはこの後もつかず離れずの関係を続け、二人が婚約するのはかなり先、シリーズ三作目『アンの愛情』の、しかも末尾です。ギルバートが戦友から恋人に昇格するまでには、まだまだ高い壁があるのです。

第三波フェミニズムを先取りしていた?

後まわしにしていた「ふくらんだ袖」問題を蒸し返します。

『若草物語』のジョーとアンのちがいは、男の子になりたい子と、女の子のままでいたい子の差だと申しました。これは美意識に属する問題です。

多くの女性は思春期にさしかかると「シックな趣味」に目覚めて、少女趣味から離脱します。そしてかつて自分も憧れていたガーリーなファッションを「幼稚な趣味」「頭の悪そうな恰好」として軽蔑します。でもそれが正しいとは限らない。華美な服をあれほど嫌悪していたマリラは、クイーン学院に進学するアンに、タックやフリルやシャーリングをたっぷりとった美しいイブニングドレスを持たせるのです。

婦人参政権に代表される一九世紀〜二〇世紀前半の第一波フェミニズムは、女子にも男子と同等の権利を寄こせと要求する運動でした。

一九六〇年代以降の第二波フェミニズムは、押しつけられた「女らしさ」からの離脱を目指して格闘しました。女らしいファッションもそこでは「男社会に媚びるツール」と見なされました。しかし、この方向性は、じゃあ男性文化をモデルとし、男のような服を着て、男のような行動をとることが正しいのかという疑問を生じさせます。

一九九〇年代に、アメリカの若い世代で広がった第三波フェミニズムは、ガールパワー、ガールカルチャーがキーワードのひとつでした。

少女時代の欲望を抑圧しないこと。一段低く見られ、軽蔑されてきた少女文化を逆手にとること。ガールパワー全開の『赤毛のアン』は、図らずも第三波フェミニズムを先取りしていた可能性があります。ピンクハウス、ロリータファッション、二〇〇〇年代に世界を魅了した日本発の「カワイイ文化」。日本には『赤毛のアン』でくり広げられるガールカルチャーを好む土壌がもともとあったのだとも考えられます。

ほんとはピンクの服が好きだった

衣服の話をもう少し。ナイジェリアからアメリカに移住した作家のチママンダ・ンゴズィ・アディーチェは『男も女もみんなフェミニストでなきゃ』（二〇一七年）の中で、フェミニズムとファッションをめぐる自身の体験を語っています。

大学で教えていたアディーチェは、軽く見られてはならじと〈本当はシャイニーなリップグロスをつけて、女の子っぽいスカートをはいていきたかったのですが、それはやめました。代わりにとても真面目な、とても男っぽい、とても不格好なスーツを着ました〉と告白しています。でもいまはそれを後悔している。こと外見になると、なぜ男性基準で考えてしまうのか。〈わたしはもう女であることに弁解じみた態度をとらないと決めました。女であることでそのまま敬意を受けたいのです〉〈わたしは女っぽいのです。女っぽいのが楽しいのです。ハイヒールが好きですし、口紅を重ね塗りしてみるのが好きです〉

ハイチにルーツをもつ大学教授で作家のロクサーヌ・ゲイも『バッド・フェミニスト』（二〇一七年）で同様の告白をしています。

自分はかつてフェミニズムを嫌悪していた。〈フェミニズムは、私がしっちゃかめっちゃかな女性であることを許さないのではないかと心配だったから〉。でもいまは、フェミニストでありたいし、好きな服も着たい。〈ピンクは私のお気に入りの色。かつて私はクールぶって好きな色は黒と言っていたけれど、でもピンクなのだ〉〈私はドレスが大好き。長年にわたって嫌いなふりをしてきたけれど、本当はそうじゃない〉

アンが聞いたら諸手をあげて賛成したでしょう。

アンは自分の趣味に肯定的です。出されたものを何でも喜んで受け取る過剰適応気味のハイジとちがい、自分の趣味や欲望を封印しません。好きなものは好きというし、欲しいものは欲しいといってしまう。ふくらんだ袖の服をマリラに要求したのはその例です。しかし、だからといって行動まで制限されたくはない。憎らしい男子はひっぱたきたかったし、理不尽な大人にも敢然と逆らいたかった。

〈わしには十二人の男の子よりもお前一人のほうがいいよ〉〈エイヴリーの奨学金をとったのは男の子じゃなくて、女の子ではなかったかな？〉というマシュウの言葉に、『赤毛のアン』の思想は凝縮されています。ふくらんだ袖を肯定する思想です。

5

自分の部屋を持つこと

ウェブスター『あしながおじさん』

Daddy-Long-Legs

1912

ジーン・ウェブスター（一八七六〜一九一六）

アメリカ・ニューヨーク州に生まれる。大叔父はマーク・トウェイン。父が一五歳のときに死去。二一歳で名門女子大に進学し、貧困問題や社会変革に関心を持つ。卒業直後から執筆活動をスタートさせ、『あしながおじさん』がベストセラーとなる。一五年、不倫関係にあった男性の離婚を機に結婚。同年『続あしながおじさん』を刊行。翌一六年に長女を出産するも、産褥熱により死去した。

★『あしながおじさん』土屋京子訳、光文社古典新訳文庫、二〇一五年

類い稀なるシンデレラ・ストーリー

ジーン・ウェブスター『あしながおじさん』（一九一二年）。原題の「ダディ・ロングレッグス」には「足長ぐも」の訳語が当てられていますが、昆虫のガガンボやクモガタ綱のザトウムシなど、脚の長い節足動物の総称だそうです。

東健而《ひがしけんじ》による本邦初訳（一九一九年）の際のタイトルも、だから『蚊とんぼスミス』でした。それに「あしながおじさん」という秀逸な訳語を当てたのは遠藤寿子の訳（一九三三年）でした。変な日本語ですけれど、いまやこれ以外の訳語は考えられません。「あしなが育英会」を思い出すまでもなく「あしながおじさん」といえば、日本では遺児を支援する人や団体の代名詞。蚊とんぼではこうはいきません。

今日では少女小説（児童文学）として認知されている『あしながおじさん』は、もともとは中産階級の奥さまがたを意識して書かれた小説でした。初出連載誌は「レディース・ホーム・ジャーナル」というアメリカの人気女性誌。作中にファッションその他の商品情報が頻出するのはそのせいかもしれません。他の少女小説より主人公の年齢が高く、舞台が大学であるため、青春小説風のテイストも備えた作品です。

導入部を除くと『あしながおじさん』は書簡体の小説です。書簡体は一人称小説のルーツともいえる古い形式の文学ですが、さほど古さは感じません。電子メールという新たな形式の書簡が思いのほか普及したせいでしょうか。

本書もまた少女小説の定番である孤児の物語です。が、最初に申し上げておくと、これは類い稀なるシンデレラ・ストーリーです。それでも二〇世紀らしいモダンな雰囲気にこの小説はあふれており、『ハイジ』や『赤毛のアン』のようなカントリーガールの世界とは一線を画しています。そして意外に「社会派」です。はて、どのへんが?

ジェルーシャ、孤児院からの脱出を果たす

〈毎月の第一水曜日は、最低で最悪な日だった。恐れおののきながら迎え、勇気をもって耐え、大急ぎで忘れてしまうしかない日。床という床は染みひとつ許されず、椅子という椅子はほこりひとつ許されず、ベッドというベッドにはしわひとつ許されない〉

これが書きだし。第一水曜日は月に一度、ジョン・グリア孤児院の評議員が集まる日。主人公のジェルーシャ・アボットは一八歳。朝から部屋の掃除や小さな子どもたちの世話に追い立てられる。彼女にとっては「憂鬱な水曜日」なのです。

しかし、その日はちがっていた。夕方、彼女はリペット院長に呼び出され、夢のような話を聞かされます。評議員のひとりが、彼女を大学に行かせてやるというのです。

申し出の主は匿名の「ジョン・スミス氏」。孤児院の評議員をつとめる資産家です。「ゆ

両親がいましたが、ジュディにはそれさえなくて「捨てられた」のです。

ジュディ、新しいドレスと部屋を得る

衣装に寄せる思いもアンの「ふくらんだ袖」どころではありません。〈教育もありがたいけれど、六着の新しいドレスを持つという頭がくらくらするほどの経験に比べたら、何ほどのものでもありません〉とジュディは告白します。〈生まれてからず〜っとギンガムチェックの服を着せられて育ったら、わたしの気もちがおわかりになると思います〉。しかも、高校で着た服はギンガムチェックよりひどかった。〈慈善箱に入れられていたぼろの古着を着て学校へ行かなければならないのがどんなに最悪な気分だったか、おじさまにはわからないと思います〉

名前を変える。新しい服を手に入れる。それは人生のリセットを意味します。当然、読者は興奮します。一〇代の女子はみんなコンプレックスの塊です。孤児じゃなくても、みんな家では不自由だったし裕福でもなかった。でも、いまに見てなさい。いつか親元から旅立つ日が来たら、あたしだって変身してやる！

もちろん、くだらない妄想です。妄想ですが、そうとでも思わなきゃ受験勉強なんかやってられません。しかもジュディは、大学デビューと同時に、すばらしいものを手に入れ

た。誰にも邪魔されない自分だけの部屋です。

〈わたしが部屋をどんなふうにコーディネートしたか、お話ししましょうか？　基本は茶色と黄色です。壁が淡い黄褐色だったので、黄色いデニム地のカーテンとクッションを買って、あと、マホガニーの机（中古で三ドル）とラタンの椅子と茶色のじゅうたんを買いました。じゅうたんは真ん中にインクの染みがあるのですが、そこに椅子を置くようにしました〉。まるで女性誌のインテリアページ。

おお、憧れのひとり暮らし。少年少女が「自分だけの城」を持つことは重要です。セーラ・クルーもジョー・マーチも屋根裏部屋で成長しました。〈一八年間も二〇人の孤児たちと大部屋暮らしをしてきた身としては、一人部屋は神経が休まります〉とジュディは書きます。〈わたしにとっては、ジェルーシャ・アボットと知りあう初めての機会です。わたし、きっと、彼女のことを好きになると思います〉。

そういうことです。自立の一歩は「私の部屋」から、です。

勉強より遊びについていくのが難しい

ジュディが入学したのは東部の名門女子大学です。

アメリカでは南北戦争後、女子の高等教育機関が次々に創設され、作者のウェブスターが卒業したのも「セブンシスターズ」と呼ばれる名門女子大のひとつ、ヴァッサー大学でした（津田梅子らとともに留学した大山捨松が卒業したのもこの大学です）。ジュディが入学したのも、この種の女子大と推測されます。

セブンシスターズは全寮制の少人数教育を売りに、四年間で幅広い教養を身につけるリベラルアーツ・カレッジですが、良妻賢母教育に偏向していた戦前の日本の女学校とはちがい、カリキュラムは共学や男子の大学とほぼいっしょ。ちなみにアメリカの大学は一発勝負の入試ではなく、高校の成績や推薦状で入学が決まります。ジュディはそれほど成績優秀、スミス氏の推薦はそれほど強力だったということでしょう。

実際、作中には、ラテン語、フランス語、幾何学、生理学など、大学で学ぶ教科が相当くわしく書かれており、「お嬢さん学校」の域を超えていることがわかります。勉強だけでなくスポーツ（体育）も充実していて、ジュディはバスケットボール・チームの選手に選ばれたり、五〇メートル走で優勝したり、文武両道で大活躍。

ところが、ジュディはいうのです。〈大学で難しいのは、勉強じゃなくて遊びのほうです〉〈わたしは世間ではよそ者で、みんなの話す言葉がわかりません〉

そうなんです。孤児院での生活しか知らず、一般の家庭を一度も訪れたことがないという彼女は、中流家庭の子が身につける教養も経験も決定的に欠落していたのでした。

ジュディ、お嬢さまぶりっこに励む

大学でジュディは二人の新入生と知り合います。サリー・マクブライドは、マサチューセッツで工場を経営する中流家庭の娘です。もうひとりのジュリア・ラトリッジ・ペンドルトンは、ニューヨークでも有数の旧家の娘であることを鼻にかけています。ジュディは〈サリーは最高に楽しい人です〉〈ジュリアとわたしは、生まれながらの仇敵です〉と評価しますが、ともあれ級友はそれなりの家の娘たちばかりだった。

〈この大学で、子供のころに『若草物語』を読んでいない学生は、わたしだけでした〉とジュディは告白します。メーテルリンクを新入生と勘違いし、ミケランジェロが誰かわからず、『マザーグース』も『シンデレラ』も『ロビンソン・クルーソー』も『ジェイン・エア』も『不思議の国のアリス』も読んだことがなかった。人間がかつてサルだったとも、エデンの園が神話だとも知らなかった。「モナ・リザ」の絵を見たこともなかったし、シャーロック・ホームズの名前も聞いたことがなかった。

それなのに、どうして高校の成績がよかったのか、どうやってこの文才が育まれたのかは謎ですが、成長の過程で身につけるべき教養を一切持たなかった彼女は百科事典を調べ、お小遣いで本を買い、級友たちに追いつこうと努力します。それもこれも自分を真っ当な育ちの娘と思わせるため。自分で買ったクリスマスプレゼントでさえ、彼女は故郷の〈カリフォルニアから小包で届いた〉ことにするのです。

革ケースつきの銀時計（お父さまから）、ひざかけ（お母さまから）。湯たんぽ（寒い土地に行った孫娘を案じるおばあちゃまから）。黄色い原稿用紙（弟のハリーから）。シルクのストッキング（姉のイザベラから）。マシュー・アーノルドの詩集（スーザン叔母さまから）。類語辞典（ジュディの要望によりハリー叔父さまから）。〈おじさま、わたしの親族全員の役をおじさまにお願いしてもかまいませんよね？〉

『あしながおじさん』の母親教育

初出連載誌の読者が「中産階級の奥さまがた」だったことを考えると、この作品で作者が何を啓蒙しようとしていたかがうかがえます。

まず、商品情報を含めた家庭教育指南。おたくのお嬢さまには、このようなお洋服をあつらえておあげなさい。こういう本も読ませたほうがいいですね。でないと将来、恥をかきますからね。今年のクリスマスのプレゼントに、銀時計やシルクのストッキングはいかがでしょう。お嬢さまはたいそうお喜びになりますよ。

女子大を宣伝する意味もあったでしょう。女に学問はいらないなんて旧弊な考えはお捨てなさい。お嬢さまはぜひ大学、できれば全寮制のカレッジにお入れなさい。大学ほどお嬢さまの見聞を広げ、成長を促す場所はございません。

あとは孤児支援のすすめですね。もしおたくに潤沢な資産がおありなら、孤児院の、とりわけ女の子に学資を出しておあげなさい。どれほど喜ばれるかしれません。

実際にも啓蒙されたお母さまがたが同時代のアメリカにはいたにちがいない。その場合、重要なのは手紙という形式です。あしながおじさんへの手紙は、すべての親たちへの手紙。全能の語り手が物語を仕切る、いわゆる「神の視点」の物語は二〇世紀になると徐々にすたれ、一人称小説の全盛時代が来ますが、これは「語る権利」を個人（主人公）が全知全能の神（語り手）から奪った結果ともいえます。いいたいことは自分でいう。孤児に生まれた女子大生が自らの言葉で語る点に、この小説の意味はあるのです。

構造は『マイ・フェア・レディ』と同じ

ところで、気になるのはスミス氏の度を越した気前のよさです。大学の学費や寮費を負担した上、過分な小遣いを与え、洋服代やクリスマスのプレゼント代まで与え、休暇中に孤児院に帰るくらいなら〈死んだほうがましです〉というジュディの訴えに応じて、夏休みに滞在するための農場まで手配してやる。やりすぎです。

彼の本心がどこにあるのか、ジュディの一方通行の手紙ではわかりません。でも想像はできる。作家にさせたい、なんてのは方便に決まっています。

オードリー・ヘプバーン主演の映画『マイ・フェア・レディ』をご存じでしょうか。この映画の原作はバーナード・ショーの戯曲『ピグマリオン』(発表年は『あしながおじさん』と同じ一九一二年)です。音声学を専門とするヒギンズ教授が、下町育ちでなまりの強い花売り娘イライザを完璧な貴婦人に育てるという、あのお話です。ヒギンズ教授がイライザを拾ったのは仲間と賭けをしたからでした。

スミス氏の思惑も教授とほぼ同じだったはずです。孤児院育ちのイノセントな少女を教養のある一人前のレディに育てる。孤児院には恩を売れるし、本人には感謝されるし、むろん立派な慈善事業だし、ヒマな金持ちにとっては最高の道楽です。

文才のあるジュディに白羽の矢を立て、手紙を書くことを課したのも、道楽の価値を上げるためでしょう。手紙は彼が投資の成果を知る手段ですが、どんなに成績優秀でも、杓子定規な文しか書けないクソまじめな子では、娯楽の価値は半減です。その点、新しい環境での驚きと喜びが生き生きと表現されたジュディの手紙は、相当おもしろかったはずです。よしよし、ワシの選択は正しかった。

謎の男、ジャーヴィス・ペンドルトン

顔を見せないという彼の判断は正解でした。影のキーパーソン「ジョン・スミス氏」は匿名の人物で、影から見守っているから価値がある。この人と顔を合わせたら最後、ジュディは恐縮し、萎縮して、とてもここまでのびやかな大学生活は送れなかったでしょう。したがって、『あしながおじさん』にも基本的に「大人の男」は出てきません。この時代のアメリカには共学の大学も存在したのに、ジュディの進学先として女子大が選ばれたのも、男性の影を排除するためだった、はずでした。

ところが、途中でオキテ破りの異変が起きます。大学に入って八か月後の五月三〇日、ジュディはおじさんへの手紙で衝撃の事実を告白します。

〈わたし、男の人とお散歩して、おしゃべりして、お茶を飲んだんです。それも、すごく上流の方〉。問題の人物はジャーヴィス・ペンドルトン。クラスメートのジュリアの叔父で〈仕事で近くまで来たので、ちょっと大学まで足を延ばして姪っ子を訪ねてみようと思われたのだそうです〉。〈ジュリアはあまり親しくないみたい〉という叔父が、なんで親しくもない姪に会いに来るのか、鈍感なジュディは考えません。

どうせわかることなので、先に答えを明かすと、このジャーヴィス・ペンドルトンこそが「あしながおじさん」の正体です。

それを知らないジュディはしかし、ジャーヴィスとの距離を徐々に縮めていきます。

スミス氏＝ジャーヴィスは、やることなすこと見え見えです。

姪のジュリアと同じ大学にジュディを入れたのは監視しやすいと考えたからでしょう。当初はあくまで影の支援者のつもりだったはずです。ところがこのチャラケた男は、手紙だけでは飽き足らず、手紙の主がどんな子か確かめたくなり、姪の面会にかこつけて、女子大にのこのこ偵察に行ってしまった（ちなみにジャーヴィスはジュディの一四歳上なので、彼女が一八のとき、彼は三二歳です）。

夏休みにスミス氏のはからいで滞在したコネチカットのロック・ウィロー農場が、ジャーヴィスが少年時代の休暇をすごした場所だったことも、農場にジャーヴィスが現れて楽しい休暇になったのも、むろん偶然ではありません。

金持ちの道楽息子が小娘に翻弄される物語

さきほど『マイ・フェア・レディ』（『ピグマリオン』）の話をしましたが、大人の男が年下の女を思い通りに調教したいと考える性向のことを「ピグマリオン・コンプレックス」といいます。『源氏物語』の「若紫」も、谷崎潤一郎『痴人の愛』も、ナボコフ『ロリータ』も、映画の『プリティ・ウーマン』も、この類いの物語。共通するのは調教するつもりだった少女に男が恋愛感情を抱いてしまうことです。『あしながおじさん』も同じ構図です。ジュディの側から見れば、『あしながおじさん』は女子大生の成長の記録であり、楽しい大学生活案内です。が、ジャーヴィスの側から見ると、これは金持ちの道楽息子が小娘に翻弄される物語です。

一切返事を書かず、ジュディの学生生活に口を出さないはずのスミス氏は、やがて秘書を通じて、あれこれ指図してくるようになった。

二年生になったジュディは、クリスマス休暇をマサチューセッツ州のサリーの実家に招待され、はじめて「ふつうの家庭」の暮らしを体験します。

両親と祖母、可愛い弟と妹。そしてプリンストン大学三年の兄のジミー。〈最高にすばらしい休暇を過ごしています〉と彼女はノーテンキに書きます。〈家族もとってもすてき！　家族がこんなにすてきなものだとは夢にも思いませんでした〉

スミス氏＝ジャーヴィスは、この手紙を苦々しく思ったのでしょう。翌年の夏、今度はマクブライド家の別荘に招待されたと喜ぶジュディに、その誘いは断れと秘書を通じて伝えてきた。昨年と同じようにロック・ウィローの農場に行けと。

信頼していたスミス氏のまさかの命令。ジュディには意味がわかりません。このころから、ジュディは少しずつスミス氏に逆らうようになっていきます。

ジュディ、人生初の報酬を得る

三年生になる九月。ジュディは、出版社に送った原稿が五〇ドルで売れたこと、奨学金の申請が通ったことを報告します。〈おじさまにそれほど負担をかけずにすむことになる〉のが嬉しい。〈これからは毎月のお小遣いだけでだいじょうぶだし、それも、もしかしたら、物書きや家庭教師や何かで稼げるかもしれません〉

ところがスミス氏はまたもや秘書を通じて、見も知らぬ人からの厚意を受けることは望まない、奨学金は辞退せよ、といってきた。

ジュディは断固、抗議します。〈これは「ご厚意」などではありません。賞金のようなものです。わたしが一所懸命に勉強して勝ち取ったものです〉

このとき彼女が書いた手紙は激烈です。〈男の人に理を説いても無駄でしょうね。スミス様、あなたは理屈のわからない男性という種類の生き物なのですから。男性に言うことをきかせる方法は、二つしかありません。ご機嫌を取るか、対決するか、です。望みを通すために男性のご機嫌を取るなんて、わたしはごめんです。したがって、ここは対決しかありません。／おじさま、奨学金辞退のお話は拒絶いたします。これ以上あれこれおっしゃるならば、毎月のお小遣いも返上いたします〉

かわいそうな孤児を一人前のレディに育てるつもりだった道楽おやじの思惑を、彼女は軽く超えてしまった。これはスミス氏＝ジャーヴィスには大きな誤算だったはずです。

二年生でサリーが級長選に立った際に彼女は書きます。

〈いいですか、おじさま、わたしたち女性が選挙権を得たあかつきには、あなたがた男性は心して自分たちの権利を守ったほうがよろしゅうございますよ〉

三年生に進級した後は、もっとスゴイことをいいだした。

〈あのね、おじさま、わたし、自分も社会主義者になろうと思います。かまわないでしょう？　社会主義者は無政府主義者とはぜんぜんちがいます。爆弾で人を吹っ飛ばそうなんて考える連中とはちがいます。たぶん、わたしは社会主義者になって当然の人間なのだと思います。だって、プロレタリア階級の生まれだから〉

プロレタリアなんて言葉が、まさか少女小説に出てくるとは！

女子大でジュディは社会の矛盾に気づき、階級差に気づき、変革の必要性も知ってしまった。初出誌の読者たる中産階級の奥さまがたは仰天したでしょう。ですが劣悪な孤児院で育ったジュディの過去を思えば、べつに不思議じゃありません。


ジュディ、社会主義者になる！

一九世紀中盤〜二〇世紀初頭のアメリカは、高等教育を受けた女性たちが婦人参政権などを求めて立ち上がった第一波フェミニズムの勃興期だったという話は『若草物語』の章でもしました。本書の作者ウェブスターも婦人参政権運動に共鳴したひとりです。またこのころは、社会主義への共感が世界中で広がった時代で、アメリカでもさまざまな流派の社会主義者の団体や政党が設立されています。

〈ジュリアのお母さまに言わせると、ジャーヴィー坊っちゃまは頭がちょっとおかしいんだそうです。社会主義者なんですのよ、だって〉〈ヨットとか自動車とかポロ用の馬のようなまともなものにお金を使わないで、変てこりんな社会改革とやらに片っ端からお金を無駄遣いしているのだそうです〉

　右の一文から考えて、ジュディの社会主義への傾倒はジャーヴィスの影響と考えるべきでしょう。この後、彼女は〈ばんざーい！　わたしはフェビアン協会員になりました〉とも書いています。〈フェビアン協会は、漸進的な社会主義です〉〈フェビアン協会は、遠い将来に向けて少しずつ改革を進めていこうと考えます。そうすれば、みんな準備ができて、変革を受けとめることができるはずです。／それまでは、産業や教育や孤児院を改革しながら準備を進めていかなくてはなりません〉

　フェビアン協会はイギリスが発祥で、ジュディがいう通り、イギリス労働党の母体になった穏健な社会主義者の団体です。メンバーは中流上流の知識人が中心で、選民意識がなかったとはいえませんが、女子大生の選択としては順当な線でしょう。

自分の影響なのですから当然とはいえ、スミス氏＝ジャーヴィスはフェビアン協会の件には反対しないし、何の意見も表明しません。

しかし、ジュディの休暇のすごし方には口を出す。

ジュディ、スミス氏の命令を蹴る

四年生になる前の夏休み、スミス氏は〈お目付役のご婦人が引率する女子学生の団体旅行〉に参加して、ヨーロッパに行けと秘書を通じていってきた。この命令を蹴って、ジュディは家庭教師のアルバイトの口を見つけ、ある家庭の別荘に行ってしまいます。
それはジャーヴィスに、ヨーロッパ旅行を拒否した君はバカだといわれて怒ったためでもありました。〈ジャーヴィー坊っちゃまは、わたしのことをバカだ、アホだ、道理のわからない人間だ、現実がぜんぜん見えていない、頭がいかれている、ひねくれたガキだ〉といったと彼女は訴えます。〈何が自分のためになるのかわかっていないのだ、と言いました。年上の人の言うことは聞くものだ、と〉
ここへきて、急に強権的な態度を見せるスミス氏＝ジャーヴィス。
一方ジュディは、生まれたときから何もかもが与えられていたサリーやジュリアと自分はちがうのだといいます。世間の厚意に甘えていたら、いつかきっと自分は世間に裏切られる。〈自分にとって唯一地道な生き方は、夏のあいだ家庭教師をしてお金を稼ぎ、経済的自立をめざすことであると強く思うのです〉

そもそもは金持ちの道楽だったのです（たぶん）。スミス氏＝ジャーヴィスは、最初はこの子が恋愛対象になるとは夢にも思っていなかったでしょう。彼の誤算はジュディが彼の思惑を超えた自立心を育み、想像を裏切るほどの成長をとげてしまったことだった。自分の管理下にあった小娘が自立して巣立っていく恐怖と焦り。

そこに拍車をかけたのが思わぬライバルの出現だった。サリーの兄のジミー・マクブライドです。クリスマス休暇をマクブライド家ですごしたジュディは、以来やたらと書いてくる。ジミーがプリンストン大学の横断幕を送ってくれた。大学の創立記念ダンスパーティーにジミーを招待した。サリーとジュリアと三人でプリンストン大学のダンスパーティーと大学野球の観戦に行った。しかも〈毎週のように、きたない字の手紙が届きます。こちらは黄色いレポート用紙に走り書きした手紙で、プリンストンからです〉と来た。

ジャーヴィス、ついにプロポーズする

若くてハンサムなジミーに比べたら、そりゃ三〇をすぎたジャーヴィスは不利です。これ以上二人を接近させてはならじと、彼はマクブライド家の別荘に行くことをジュディにあきらめさせ、夏休みはヨーロッパに行けと命じ、ときどきジュディの前に現れては気を引き……もう必死です。しかもジュディは中流のマクブライド家への好感を示す一方、虚飾に満ちた上流のペンドルトン家への嫌悪を隠しません。〈わたしがもし結婚して家庭を持つとしたら、マクブライド家そっくりの家庭にするつもりです。どんなにお金があったって、わたしの子はペンドルトン一族みたいには育てません〉

女は金の力でなんとかなるはずだったのに、実際、最初はうまくいったのに、このままではボクの可愛いジュディは遠くへ行ってしまう……。

大学を卒業したジュディは、作家になるという約束をはたすべく、執筆活動に専念するため、しばらくスミス氏＝ジャーヴィスゆかりのロック・ウィロー農園に滞在しますが、やがてボストンに引っ越すといいだした。〈サリーがこんどの冬からボストンでセツルメントの仕事をすることになっているので、わたしもいっしょに行こうかと考えています。そうすれば、二人でワンルームのアパートを借りられます〉

さあ、どうするジャーヴィス。いっそプロポーズでもするか。

で、オッチョコチョイにもこの人は、本当にプロポーズしてしまったのでした。

もちろんジュディは断ります。彼女が最後まで悩んだのは出自の問題だった。親しいサリーやジャーヴィスに対しても、彼女は孤児院育ちであることを隠し、父母が他界して親切な老紳士が大学に通わせてくれているのだと説明していたのでした。どんなに中流の出のふりをしても、結婚となればそうはいかない。

この結末をどう考える？

「捨て子」だったという事実は、当人には重い桎梏《しっこく》だったはずです。〈自分が何者かわからないって、すごく変な気分です〉とジュディは、ある日の手紙に書いています。〈だって、ものすごくたくさんの可能性があるわけでしょう？　もしかしたら、わたし、アメリカ人ではないかもしれません〉

そうです、アングロサクソン系じゃない可能性だってある。

結論からいうと、彼女は「あしながおじさん」ことジャーヴィス・ペンドルトンの求婚を受け入れます。どうしても相談したいことがあるとの希望を受け入れ、スミス氏はついにジュディとの面会を許可します。彼はそのとき、重い病で床《とこ》に伏していた。そしてジュディがはじめて目にした「おじさん」の正体は……。

孤児だった少女が大金持ちの男と結婚する。わかりやすいシンデレラ・ストーリーです。『若草物語』のジョー・マーチも、『赤毛のアン』のアン・シャーリーも、結婚するのは続編以降。ずっと先の話ですので、少女小説には珍しい結末です。

この結末は賛否が分かれるところでしょう。すばらしくロマンチックなラブストーリーと考えて納得するか、くそっ、裏切りやがって、と舌打ちするか。

初出誌の読者たる中産階級の奥さまがたの多くは、おそらくロマンチック・ラブ肯定派。この結末を言祝《ことほ》いだでしょう。私は「舌打ち派」でした。ああ、そうですか、孤児であろうが女子大を出ようが、女の幸せは結局、結婚ってことですか。

ジュディが描いていた将来の夢

肯定派も否定派も、大きな勘違いをしています。こういう勘違いが起きるのは、ジュディの最後の手紙が恋愛モード炸裂で、完全に舞い上がっているからです。

スミス氏の正体がジャーヴィスと知った後の手紙で彼女は書きます。〈いとおしいジャーヴィー、あなたのことが恋しくてたまりません。でも、これは幸せな恋しさです。もうすぐいっしょになれると思えば、本当に、まちがいなく、あなたはわたしのもので、わたしはあなたのものなのですね?〉〈追伸　これはわたしが初めて書いたラブレターです。書き方を知っているなんて、不思議だと思いませんか?〉

物語はここで終わります。バカ丸出しです。

恋する乙女は平常心を欠いているので、こういうパッパラパーな手紙になるわけですが、結婚が人生の「上がり」と考えるのは、私たちがロマンチック・ラブ・イデオロギーにからめとられている証拠。結婚で過去がチャラになると思ったら大まちがいです。ジュディにはジュディの人生設計があったと考えるべきでしょう。

恋する乙女が舞い上がったまま退場するので、私が説明いたします。

彼女の夢は大学に入った際のスミス氏との約束通り、作家になることでした。

原稿を何度も出版社に送っては、酷評つきで突き返されていたジュディが、書くべきことに目覚めたのは大学を卒業する直前でした。〈今回は、わたしがよく知っている〈いやというほど知っている〉題材にしました。場面はどこだと思いますか？　ジョン・グリア孤児院です。すごくいい作品ですよ、おじさま。わたし、本気でそう思っています〉〈こんどは写実主義でいきます。ロマン主義は捨てました〉

孤児院を脱出する契機となった作文「ゆううつな水曜日」の原点に戻ったともいえますが、彼女が右のような心境に達したのは、孤児院での経験を客観視できるほど成長したからでしょう。〈ふつうではありえない経験をしたと思っています。一歩引いたところから人生を眺めることのできる有利な視点を与えていただいた、と〉

お嬢さまぶりっこに明け暮れていた孤児が、やっと気づいた自分の個性。「弱み」だった過去こそが、本当は最大の「強み」だった。これは大きな発見です。逆にいうと、彼女はそれほどジョン・グリア孤児院にこだわっていたことになる。

ジュディはなぜジャーヴィスと結婚したか

作家修業のかたわら、ジュディがこっそり計画していたのは、劣悪な孤児院の改善だったと思われます。事実、彼女は何度も手紙に書いていた。

〈わたし、いつか、孤児院の院長になりますから、見ていてください！　毎晩眠る前に理想の孤児院を思い描くのが、わたしの楽しみなのです〉（二年生・五月四日）。

〈ことしは経済学を選択することにしました。すごく役に立つ学問です。経済学が終わったら、次は福祉と社会改革を履修します。そうしたら、評議員様、わたしにも孤児院をどのように経営すべきかわかってくるでしょう〉（三年生・一一月九日）。

これは単なる妄想でしょうか。ちがうと私は思います。

三年後に発表された『続あしながおじさん』を読めば、妄想ではなかったことがわかります。『続あしながおじさん』の原題は『Dear Enemy（親愛なる敵さま）』。続編はあの親友のサリー・マクブライドが、ペンドルトン夫人となったジュディとその他の人物にあてた手紙で構成された作品です。卒業して数年後、サリーはペンドルトン夫妻の要請で、ジュディを苦しめたリペット院長の後任に抜擢され、ジョン・グリア孤児院の新院長に就任したのでした。サリーが孤児院の改善に汗を流す『続あしながおじさん』は完全な職業婦人小説で、私はかつてこちらのほうが好きでした。

ですが、冷静に考えてみてください。なぜサリーが孤児院の院長の職に就いたのかを。院長になってほしいとジュディに要請されたから、さらにさかのぼればジュディがジャーヴィス・ペンドルトンと結婚したからです。

宿願である孤児院の改革を実現させるには、この人と結婚するのがもっとも近道だとジュディが判断したか夢想した、と考えるのが筋でしょう。なんたって彼女は自身の出自にあれほど悩んだ、フェビアン協会員の「社会主義者」なのです。富豪の妻になることが「上がり」だなんてケチな料簡はもっていない。

優秀な子を個別に選んで援助をしても「金持ちの慈善事業＝道楽」以上にはならない、必要なのは全体の引き上げだ。大学で経済学と福祉と社会改革を学んだ彼女は、そう考えたはずです。あたしと結婚したければ、孤児院をすぐに改革すると約束して、くらいの条件は出したと思いますね。資金を出すのは夫でも、改革をプロデュースするのは実態をいちばんよく知る自分だとも考えたでしょう。

「おじさん」を殺す物語

セブンシスターズに代表される当時の女子大は、たしかにレベルの高い高等教育機関でした。ただ問題は、卒業後の女子の受け皿がなかったことです。サリーはボストンのセツルメント(貧困層相手の慈善事業)に赴きますが、それは職業というよりボランティア活動で、経済的に自立できるほどの賃金が保障されていたとはいえません。

アメリカで女性の社会進出が本格的に促進されるのは第一次世界大戦(一九一四〜一八年)後、女性の参政権が認められたのは一九二〇年でした。

階級を超えた結婚自体がレジスタンスだった時代です。優生思想が幅を利かせていた時代でもあります。出自の不明な孤児の女性が旧家であるペンドルトン家の男と結婚する。ジュディにとっては大学に行くのと同じか、それ以上に大きな冒険だったはずですし、いかにジャーヴィスが「変てこりんな社会改革」に傾倒する変人でも、この結婚は一族郎党を敵に回す、相当に困難な選択だったはずです。

そもそも「あしながおじさんは自分だ」とカミングアウトするのだって、彼には大きな賭けだったと思いますよ。事実を知ったジュディが「なぜウソをついていたのか」と怒って彼のもとを去る可能性だってあったのだから。

ジュディが四年間で劇的に成長したのは、自分の部屋を持ち、手紙を書くことで自分を見つめ続けた結果でした。そしてジャーヴィスも、四年間の手紙を通じてジュディに「教育された」と考えるべきでしょう。強圧的な態度に出たら、この人は絶対に抵抗する。女は自分の思い通りにならないと彼は思い知ったはずです。ジュディが「ダディ・ロングレッグス」と呼び続けた疑似的な父親はこの世に実在しなかった。その意味で『あしながおじさん』は「おじさん」を最終的には殺す物語だったともいえます。

おわかりいただけたでしょうか。結婚という切り札は、このように使わなければなりません。二〇世紀のシンデレラを舐めてもらっちゃ困るのです。

6

健康を取り戻すこと

バーネット『秘密の花園』

The Secret Garden

1911

フランシス・ホジソン・バーネット（一八四九～一九二四）

※略歴一六ページ参照

★『秘密の花園』猪熊葉子訳、福音館文庫、二〇〇三年

児童文学界に革命をもたらした異色作

『秘密の花園』(一九一一年)は、本書の最初に取り上げた『小公女』と同じフランシス・ホジソン・バーネットの作品です。この二作には大きな共通点が二つあります。第一に、どちらも「みなしご」のお話であること。第二に、どちらもイギリスの植民地インドで育った少女が、本国イギリスに戻る物語であることです。

『小公女』の章でもお話ししたように、作者のバーネットはイギリスのマンチェスターで生まれましたが、四歳で父を亡くし、家族とともに新大陸に移住、アメリカに帰化しました。イギリスがよく舞台に選ばれるのは故郷への郷愁かもしれません。

出世作『小公子』と、『小公女』の原型となった短編は彼女が三〇代のときの作品です。一方、『秘密の花園』は六〇代で書かれた長編児童文学です。

寄宿学校を舞台にした『小公女』はちょっと古めかしい物語だと申しましたが、『小公子』とともに、たいへんよく知られています。しかし、『秘密の花園』は、発表当時はさして評判にもならず、長い間、むしろ忘れられた作品でした。

評判が上がったのは第二次大戦後の一九六〇年代。今日ではバーネットの代表作とされると同時に、児童文学史に革命を起こした作品ともいわれています。

それまでの作品との最大のちがいは、主人公のメリー(訳本によってはメアリ)の人物像でしょう。なんだかんだいっても少女小説の主人公はみな愛されるキャラクターでした。セーラもハイジもアンもジュディも、問題はあっても魅力的な少女として描かれています。『秘密の花園』のメリーはちがいます。初読の方は驚くにちがいありません。

主人公は器量も性格も悪い嫌なガキ

〈メリー・レノックスが、おじさまに引き取られてミセルスウェイト屋敷に来て住むようになったとき、こんなみっともない子どもは見たことがない、とみんなはいいました〉

書きだしからこれです。そして彼女の容姿の描写が続きます。

〈ほおのこけた小さな顔、やせ細った小さな体、かさの少ないうす色の髪、気むずかしい顔つき。メリーの髪の色が黄色なら、その顔も黄色でした。それというのも、メリーはインドで生まれ、これまでいつも、どこかしら体の具合が悪かったからです〉

ちなみに「赤い髪」が裏切り者の象徴だったように、西欧社会では「黄色い髪」「黄色い肌」はかつて、病やいかがわしさの証とされていました。

問題があるのは外見だけではありません。メリーの父はイギリス政府の官吏で、多忙な上に病気がち。母はすばらしい美人でしたが、社交が大事で子どもは嫌い。現地人の乳母《アヤ》や召使いたちにかしずかれて育ったメリーは、六歳になる頃には〈手もつけられない、いばりくさったわがままむすめ〉になっていた。読み書きを教える家庭教師も三か月ともたず、次々屋敷を去っていったほどでした。

物語はメリー九歳の、ある忌まわしい朝からはじまります。

その日はいつもとちがっていました。乳母は来ない。召使いもいない。〈いやなことがつぎつぎに起りました〉〈メリーにはわかりました。コレラが恐ろしい勢いでひろまり、人びとがまるでハエか何かのようにばたばた死んでいったのでした〉

乳母が死に、三人の召使いが死に、残った召使いは逃げてしまった。その間、メリーは子ども部屋にひとりでかくれていました。なぜ助けを求めず、泣きもわめきもしなかったのか。〈メリーにはやさしい心がありませんでした〉と語り手は説明します。〈ですから人のことなどどうでもいいのでした〉

一方、大人たちも、屋敷の中に子どもがいるとは思いもしなかった。彼女を発見したのはイギリス軍の将校たちでした。〈ここに子どもがいるぞ！　しかもたったひとりでだ！〉〈この子はすっかり忘れられちまってたんだ！〉

〈どうして忘れられちまったのよ！〉とメリーは抗議しますが、そのときはじめて知ったのです。父も母も知らないうちに死んで運び出されたこと。生き残った召使いも、誰ひとりお嬢さま（ミッシー・サヒーブ）を思い出さなかったこと。

メリー、陰気な屋敷にたどり着く

器量は悪い。性格も悪い。躾もできていない、コミュニケーション能力もない。しかも両親はコレラで落命し、彼女は置き去りにされていた!

かなりショッキングなオープニングです。少女小説の主人公はそれぞれに悲惨な過去を背負っていますが、メリーは親が生きていた頃から誰にも愛されたことのない「忘れられた子ども」だった。乳母や召使いに囲まれていたとはいえ、彼女はネグレクト（育児放棄）という児童虐待の被害者といえましょう。であったにしても、ここまで「可愛くない主人公」「憎たらしい主人公」は児童文学では稀なケースといえます。

補足しておきますと、コレラはかつてインドの風土病でした。それが世界中に広がったのは大英帝国がここを植民地化し、イギリス商船や軍艦に乗って菌が拡散したためです。『秘密の花園』の舞台は二〇世紀の初頭。コッホによってすでにコレラ菌は発見されていましたが、一九世紀末から二〇世紀前半にかけてインドはたびたびコレラのパンデミックに襲われました。メリーの両親は植民地からのしっぺ返しによって命を落としたのだともいえますし、メリーはそのまた犠牲者ともいえるでしょう。

さて、ともあれこうして「みなしご」になったメリーは、五人の子どものいる貧しいイギリス人牧師の家に一時的に預けられた後、本国イギリスに住む義理の伯父（亡き父の姉の夫）のクレーブン氏に引き取られたのでした。

長旅の末、メリーが連れてこられたのは、イギリス北部、ヨークシャー州のミセルスウェイト屋敷と呼ばれる邸宅です。ロンドンまでメリーを迎えに来た女中頭のメドロックさんはいいます。〈何マイルも何マイルも見わたすかぎり続いている荒れ地なんです。ヒースやエニシダや、ハリエニシダのほかは何も生えない土地なんです〉

児童文学の風景描写は、見ている子どもの心象風景。『ハイジ』はアルプスの美しい自然の描写からはじまります。『赤毛のアン』ではプリンス・エドワード島の花と緑が傷ついた子どもを迎えてくれた。ところがメリーを待っていたのは、荒野《ムーア》と呼ばれる荒涼とした荒れ地。この子の心のありようは荒れ地に等しいということでしょう。

着いた屋敷がまた、バカでかいだけで陰気なんだ。中は暗くて一〇〇ほどもある部屋にはすべて鍵がかかっている。しかも屋敷に着くやいなや、メリーはいいわたされます。〈だんなさまはお会いになりません。明朝ロンドンにお発ちです〉

主《あるじ》が退場させられる理由はおわかりですよね。そうです、邪魔だからです。邪魔だからですが、長旅の果てに親に死なれた幼い姪が来たんです。「よく来たね」くらいいっても罰は当たるまい。この人は〈背中が曲がってる〉ために〈ひねくれておしまいになった〉という人物です。しかも一〇年前に妻を亡くして以来、前にもまして気むずかしくなり、家にもめったに帰ってこない。この小説は困った人だらけなのです。

メリー、ショック療法を受ける

かくして、〈手もつけられない、いばりくさったわがままむすめ〉を調教するため、強力なトレーナーが物語に送り込まれます。年若い（たぶんまだ一〇代の）召使い、マーサです。マーサはメリーの世話係を命じられた住み込みのメイドですが、一二人もきょうだいがいる貧乏な家で育っただけあって、なかなかの傑物です。

〈だれがあたしに服を着せるのよ？〉〈これまで一度だってひとりで着たことなんかありゃしないわ〉とメリーがむくれれば、〈ずぶんで着物も着られねえって！〉〈もう大きいんだものね。ちっとは自分のことは自分でするほうが身のためですよ〉といなす。この服はあたしのじゃないとメリーがグズれば〈お嬢さんはこれを着なくちゃいけないんですよ〉と命じる。ご飯を食べたくないとメリーがゴネれば〈驚いたねえ！〉と大げさにあきれてみせる。〈こんなおいしいパンだの肉だのの前にすわって、ただながめている人なんてがまんできないね。あきれちまうよ！〉

ほんとだよ。このときメリーはすでに一〇歳。その歳になって服もひとりで着られず、靴もひとりで履けず、飯も食べたくない……。どれだけこの子はスポイルされてきたのでしょう。腫れ物にさわるようなインド時代の召使いとは正反対。ヨークシャー弁でズケズケものをいうマーサの態度は、ショック療法そのものだった。

季節は冬。屋敷の周囲には広い庭、そのまた周囲には広大な荒野《ムーア》が広がっています。陰気な物語を先に進めるべく、メリーの背中を押したのはマーサのひと言でした。〈あったかくして外で遊んでくるといいですよ〉

さらにマーサはこの家の秘密を打ち明けます。敷地の中には、高い塀におおわれて一〇年も鍵がかかったままの庭がある。〈奥さまが急におなくなりになったとき、クレーブンさまがしめさせたんですよ。だれも入っちゃならんていわれてね。それは奥さまの庭だったんです。戸に鍵をかけると、穴を掘って、鍵を埋めちまったんですと〉

メリー、秘密の庭への潜入に成功する

好奇心にかられたメリーは広い庭を歩き回った末、そこで二人目のトレーナーと出会います。気むずかしげな老人、庭師のベン・ウェザースタフです。〈あんたとわしはだいぶ似てるかもしれんな〉とベンはいいます。〈両方とも器量はよくないし、気むずかしいものな。ふたりとも、いやな気性だ。こりゃまちがいねえ〉

ショック療法、その二です。〈メリー・レノックスは生まれてはじめて自分自身について本当のことを耳にした〉。〈メリーはこれまで、自分の顔立ちのことなど考えてみたことはありませんでした〉というのですから驚きです。誰にもかまわれずに育ったメリーは、自分自身への関心さえ持っていなかった！

やがて彼女はコマドリの導きで鍵を見つけ、立入禁止の庭に入ることに成功します。そこは四方を塀で囲まれ、茂りすぎた草木と枯れたバラでいっぱいの空間だった。

〈ずいぶん仕事がたくさんあるわね。でもできるだけやってみよう〉

無謀にも、彼女は庭の再生事業に乗りだします。土を掘り、雑草を抜き、木の下にもぐって下草を抜く。誰にもいわず、毎日黙々とひとりで働いているうちに、食欲は旺盛になり、体重も増えて、黄色い髪や肌も健康的に変わってきた。庭仕事への意欲もわいて、久しぶりに戻ったクレーブン氏の「何かほしいものはないかい？」という問いに、「それなら植物を育てるちょっぴりの土地がほしいんですけど」と願い出ます。

子どもは自然の一部であり、子どもは動植物とともに育つべきであるという思想を一八～一九世紀のフレーベルやペスタロッチが広めたことは、『ハイジ』の章でお話ししました。『秘密の花園』の底に流れているのも同様の価値観です。

ただ、物語のスタートと同時に美しい自然を与えられたハイジやアンとはちがい、メリーの前にあるのは荒れた大地と一〇年も放置された庭だった。

ちなみにこの秘密の庭は、いまも人気の「イングリッシュガーデン」と考えられます。イギリス式の庭園は、左右対称にレイアウトされたイタリア式やフランス式の庭園に代わって一八世紀後半に登場した様式で、自然の風景を模しているのが特徴です。植生に乏しいイギリスの人々は植民地で多様な植物の存在を知り、自然への憧れが育ったともいわれています。バラはとりわけイングリッシュガーデンを象徴する花でした。

この庭は、メリーの分身といっていいでしょう。『秘密の花園』は美しい自然に「癒される」のではなく、自らの手で美しい自然を「つくり出す」物語なのです。

メリー、森の精のディッコンに出会う

さて、こうして庭の再生に乗りだしたメリーは、この後、二人の少年に出会います。

ひとりはマーサの弟、メリーの二歳上のディッコンです。

「うちのディッコンが」「うちのディッコンが」とマーサが吹聴し続けていたため、メリーの中でディッコンは一種のヒーローと化していた。はたしてはじめて会った「うちのディッコン」は、森の精みたいなやつだった。〈ひとりの少年が木に背をもたれてすわり、粗末な木の笛を吹いていたのです。年は十二歳くらいのおかしな男の子でした〉。彼のまわりには笛の音《ね》に導かれたように、リスやウサギやキジが取り巻いている。

〈おれ、ディッコンだよ。あんた、メリーさんだろ〉

子どもは動植物とともに育つべきである、という思想を体現したような少年です。とはいえこの子は妖精ではありません。クレーブン家の敷地の中に母や姉を含めた大家族で暮らす男の子。農業や園芸の知識と経験が豊富な最強の技術者です。

メリーは悩んだあげく、少年に秘密を打ち明けます。〈あたし、お庭をぬすんだの〉〈この庭を生き返らせたい、って思ってるのは、世界じゅうであたししかいないのよ〉。ディッコンは秘密を守ると約束し、メリーを手伝うと誓います。〈やることがしこたまあるなあ、この庭にゃ！〉〈こんなにおもしろいことははじめてだぜ〉

メリー、暴君コリンを発見する

もうひとりの少年は、メリーが屋敷の中で偶然発見したのでした。

夜な夜な聞こえてくる泣き声をかねて気にしていたメリー。ある嵐の夜、迷路のような屋敷の中を泣き声のする方向へたどっていくと、灯りのもれている部屋があった。そこに寝ていたのは、存在さえも伏せられていた、クレーブン氏のひとり息子、コリン・クレーブンでした。年は同じ一〇歳。メリーの従兄弟です。

メリーがここに来たことも、コリンは知らなかった。〈ぼくはずっとこうだったからさ。

病気で寝てばかりいたんだもの。お父さまだって、ぼくのことをだれかに話させたがらないんだ。召使たちはぼくの噂をすることを許されてない〉

〈まああきれた！　この家は何て変な家なのかしら！〉

メリーは自分を棚に上げて叫びます。インド時代のメリーと同じで、コリンも放置された子どもだった。しかもこの子の性格の悪さはメリー以上。彼は身体が弱く、背中のコブを気にしていて、いつか自分は死ぬのだと、ことあるごとに口にしている少年です。召使いの前では暴君で、一度かんしゃくを起こしたら誰にも手がつけられない。

泣き叫ぶコリンを、メリーはある日、一喝します。

〈黙りなさいよ！　あんたなんて大きらいだわ！　あんたのこと好きな人なんてだれもいやしないんだから！　みんなこの家から出ていっちまえばいいんだわ〉

コリンが気に病んでいる背中のコブについてもメリーは一蹴します。

〈コブなんてありっこないじゃないさ！〉〈あんたの病気の半分はヒステリーとかんしゃくなんだもの――なにさ、ヒステリー、ヒステリー、ヒステリー〉

自分がやられたのの「倍返し」ともいうべきショック療法。ここは『赤毛のアン』でアンがギルバートの頭に石盤を打ち下ろしたのと同じくらい、胸のすくシーンです。メリーにとってこの一撃は、過去の自分への一撃でもあったのでしょうね。

没落する田舎貴族、凋落する大英帝国

三人の子どもの関係は、時代背景を考えると興味深いものがあります。

物語の舞台「ミセルスウェイト屋敷」は、メドロックさんの説明によると、なんと築六〇〇年、石造りの建物で、部屋が一〇〇ほどもある巨大な邸宅です。これはイングランドで「カントリーハウス」と呼ばれる地主の館と考えられます。屋敷とか邸宅とか訳されていますが、資料写真を見るとむしろ「城」です。屋敷を取り囲む庭園（ガーデン）も東京ドーム何個分とかの単位。その周りの広大な荒野（ムーア）も地主の所有地（パーク）で、領内にはディッコン一家のような領民が多数暮らしています。

メリーの義伯父でコリンの父であるクレーブン氏は、この広大な土地を所有する「ジェントリ」（ジェントルマンの語源でもあります）と呼ばれる支配階級に属していると見ていいでしょう。中世から続くジェントリはイギリス（イングランド）に固有の地主階級で、身分としては下層貴族に該当します。ジェーン・オースティン『高慢と偏見』やエミリー・ブロンテ『嵐が丘』は、この階級に属する人々の物語です。

ですが、一八～一九世紀に入って産業構造や社会構造が変わると、かつて絶大な権力を誇ったジェントリ層も、地代だけで暮らすのはむずかしくなり、資本主義に適応した金融や海運に活路を求めるようになっていきます。

ところが、ミセルスウェイト屋敷の家長クレーブン氏は、時代の変化に追いついていません。一〇年前に最愛の妻を亡くした傷がまだ癒えず、家も息子もほったらかしで、ひとりで諸国をほっつき歩いている。大勢の召使いを無駄に雇い、一〇〇もの部屋を遊ばせている旧態依然としたこの家は、没落寸前といえましょう。

二〇世紀初頭の大英帝国は、そうでなくても没落の危機に瀕していました。イギリスが帝国主義を推し進めて経済的な繁栄をきわめたのはヴィクトリア朝時代（一八三七～一九〇一年）ですが、二〇世紀に入ると新興のドイツやロシアが台頭し、植民地のインドでも反英闘争が激化。第一次世界大戦後、世界の覇権はアメリカに移るのですから、その直前のイギリスは、すでに傾きかけていた。

自然に近い人ほど偉い

そんな背景を念頭に物語を俯瞰すると、現地の召使いにすべてやらせていたインド時代のメリーも、屋敷の中でわがまま放題に育ったコリンも、時代遅れの帝国主義者そのものです。このどうしようもない女帝や暴君に手を差し伸べたのが、被支配者層であるマーサであり、庭師のベンであり、森の精みたいなディッコンだった。そんなことじゃ、あんたはこれからやってけねえよ。変わんないといけねえよ、と。

庭仕事という肉体労働によってひと足早く更正したインド帰りの「姫」が、家の中でウダウダしている時代遅れな「若さま」を一喝するのも爽快です。もうあんたがいばってられる時代じゃないのよ、目を覚ませ、大英帝国の少年よ!

自然回帰への指向性が強い『秘密の花園』では、自然に近い(とされている)人ほど賢者に、インドアな上流の人間ほど愚者に描かれています。

最上位の賢者として君臨するのは、マーサとディッコンの母である「ソワビーのおかみさん」ことスーザン・ソワビー(サワビー)でしょう。一二人の子どもを育てたスーザンは誰より子どものことをよく知っている。メリーに必要なのは新鮮な空気と自由と外を駈け回ることだとクレーブン氏に進言したのもスーザンでした。

他方、最低の愚者はやはりコリンです。『若草物語』のローリー、『ハイジ』のペーター、『赤毛のアン』のギルバートなど、少女小説には印象的な少年が何人も登場しますが、コリンは少女小説史上類を見ない、甘ったれのクソガキです。

子どもを放置した父親の責任とはいえ、この子のありようは一〇年間放置され、他者の目から隠され、荒れるだけ荒れた庭といっしょです。ゆえにこの子も庭と同様、土から耕し直して再生させる必要があった。メリーが「なにさ、ヒステリー」とコリンをドヤしつけたのはその第一歩。メリーが「教育される側」から「教育する側」に回ったことで、彼女の更生はひとまず完了。以後、物語はコリンの矯正を中心に回りはじめます。

友情はジェンダーも階級も超える

こうして後半、陰気だった物語は一気に陽気な雰囲気に変わります。メリーとディッコンは庭の秘密をコリンとも共有し、彼を庭に連れ出すことが次のミッションになった。〈いろんなものを見せたり、聞かせたり、匂いをかがせるのさ。それでおてんとさまにたっぷりあてるんだ。ぐずぐずしちゃいられねえ〉

少女小説は、恋愛よりも友情を上位に置く物語だと申しました。『秘密の花園』は、主人公が男の子とチームを組む珍しいタイプの少女小説ですが、三人の間にあるのも、ジェンダーや階級を超えた友情といっていいでしょう。

親に放置されていたメリーは女の子としての躾を受けておらず、部屋に閉じこもっていたコリンは男らしさを学んでいません。どちらかといえばメリーのほうが男の子っぽく、コリンのほうが女の子っぽい。さらにディッコンは母親を敬愛しており、ソワビー家の父は影が薄くているのかいないのかも不明です。三人が同性のロールモデルを持たず、ヴィクトリア朝時代のジェンダー規範から自由だったのは、友情を育む上でラッキーでした。一九世紀、「ヒステリー」は女性に特有の病とされていました。メリーが「なにさ、ヒステリー」とコリンに向かって叫ぶのは、だから余計おもしろいのです。

コリン、自力で立ち上がる

三人はやがてコリンを車椅子に乗せて外に連れ出し、秘密の庭に入ることにも成功します。季節は春。塀も地面も風にゆれる小枝も緑。木々は白やピンクの花をつけ、小鳥たちの羽音やさえずりが聞こえる。庭はかぐわしい香に満ち、太陽の光があふれている。〈「ぼく、よくなるよ！　きっとよくなるさ！」コリンは叫びました〉

物語はここで終わってもよかったのです。ですが、奇跡は続きます。

奇跡の発端は三人が秘密の庭にこっそり入っているのが、庭師のベンにバレたことでした。〈最初っからゆだんのならねえ小むすめだと思ってただ〉。ベンはメリーを罵倒し、コリンにも侮蔑的な言葉をあびせます。〈いったいどうやってここまで来なすったかね？あんたは気の毒なびっこだって話だがよ〉

またもやショック療法。コリンはカッとなって〈ぼくはびっこなんかじゃないぞ！〉と反論します。メリーもかんかんになって怒鳴ります。〈そうよ、びっこじゃないわ！〉〈それにコリンにはピンの頭ほどのこぶだってありゃしないんだから！〉

そしてコリンはひざかけ毛布を投げ捨て、自分の足で立ち上がった。

〈ぼくを見ろ！〉〈見るんだ、ぼくを。ほら、どうなんだよ！〉
ベンは涙を流して喜びます。〈こりゃどうだ！　世間の奴らは嘘ばかりつきおって！〉
せめてここで終わればハッピーエンドだったのです。しかし、コリンが図に乗った。

コリン、三文芝居を思いつく

問題はコリンが妙なやる気を出したことでした。もっと健康になって、主治医や父親を驚かせたい。それまでは車椅子に乗って病気のふりをし続けるので、君たちも協力してほしい。それがコリンの要求でした。メリーとディッコンは協力を約束。新鮮な空気と太陽の下で、どんどん丈夫になって食欲も体重も増しているのに、病気のふりをし続けるコリンの三文芝居に二人はつきあうことになった。

コリンはますます増長します。くだらない演説をはじめるわ、運動選手をまねて筋トレをはじめるわ、自分が健康になった理由を得々と解説するわ。

自分は魔法の力で元気になったのだと彼はいいます。〈この世界にはたくさん魔法があるにはちがいないよ〉〈みんなはそれがどんなものだか知らないし、どうやって使うのかもわからないんだよ〉だから〈ぼくはこれから科学の実験をしてみようと思うんだ〉〈ぼくは大きくなったら、科学の偉大な発見をしようと思ってるんだ〉

魔法の力を試すための科学の実験？　さすが愚かな暴君です。彼が「魔法」と呼んでいるのは自分の身体の変化のことらしい。彼は本ばかり読んできた頭でっかちな少年ですが、学校にも教会にも行っていないため、知識がとっちらかっている。メリーもディッコンもベンも、辟易しながら彼の演説を聞いているのです。しかし、彼らも学がないため「あんたはアホじゃ」と指摘できず、「いいかげんに黙れ」ともいわない。

帰ってきた父親

さらにはここに、あの邪魔者が加わります。コリンの父が帰還したのです。「わたしがあなただったら、家に帰ります」というスーザン・ソワビーの手紙を旅先で受け取ったクレーブン氏は、屋敷に戻り、信じがたい光景を目にします。

庭の戸口から勢いよく飛び出してきた少年。〈お父さま、ぼくコリンですよ。信じられないでしょう〉〈庭のおかげなんです。それにメリーとディッコンと動物たちのおかげなんです――それから魔法の〉〈ぼく、よくなったんです。かけっこしてメリーに勝てるんです。ぼく選手になろうと思ってるんです〉

コリンは父を秘密の庭に案内し、これまでのことをすべて話して聞かせます。季節はもう秋。色とりどりの秋草と遅咲きの花、色づきはじめた紅葉。

子どもたちの三文芝居に騙されていた召使い一同が仰天し、この家の主を見つめるところで物語は幕を閉じます。晴れやかな顔で屋敷に向かって歩いてくる主人。そして……。〈ヨークシャーのどんな子にもまけないしっかりした足どりで、そのわきを歩いてくる男の子がありました——それはコリン坊ちゃんだったのです〉

これが結末です。いつの間にか父と息子の感動ストーリーになっちゃってる！

コリン、主役の座を乗っ取る

名作の誉れ高い『秘密の花園』は、じつは終盤と結末に大きな難があります。

第一の難点は、いま見たように、事実上の主人公が、途中からコリンに交代してしまうことです。これは作劇上の整合性にかかわります。

コリンが物語の前面にしゃしゃり出てくることで、こつこつと庭の再生に努めてきたメリーとディッコンは、コリンのサポート役という脇役の座に引きずりおろされる。その上、物語のクライマックスまで横取りしたクレーブン父子。メリーに感情移入し、メリーの成長物語、ディッコンとの友情物語として読んできた読者としては興ざめです。せめてクレーブン氏には、メリーとディッコンに「何もかも君たちのおかげだ。礼のしようもない」くらいのことをいってもらわないと割に合いません。

第二の難点は少女小説としての思想の問題に直結します。

コリンがメリーから主役の座を奪い、父親が登場することで、ジェンダーも階級も超えた友情の物語になりかけていた『秘密の花園』は、「病弱な少年が一人前の男への第一歩を踏み出す物語」という男子の凡庸な成長譚に堕してしまった。

このまま行くと、コリンはどこぞの寄宿学校に入り、大帝帝国の男子としての「男らしさ」を身につけ、やがてクレーブン家の立派な跡継ぎになるでしょう。メリーを嫁にしたい、くらいのことはいいかねない。そしてディッコンは「ぼくの恩人」程度の位置づけのまま、ベンの後を継ぐ筆頭庭師あたりに採用されておしまいです。

歩けることが正しいことか

さらに今日的な観点からいくと、「歩けること」が正しいことなのか、という根本的な疑問も拭えません。コリンが自然（を模した庭）の中で健康を取り戻し、歩行困難から回復するというプロットは『ハイジ』のクララのケースと同じです。

コリンとクララは境遇が似ています。二人とも幼い頃に母を亡くして父は留守がち。経済的には恵まれていますが、同世代の友達はおらず、周囲にいるのは大人の使用人だけ。『ハイジ』のロッテンマイヤーさんも『秘密の花園』のメドロックさんも優秀なハウスサーバントではありますが、主《あるじ》の子どもの責任までは負えません。

かような背景を考えると、二人の歩行困難は、心因性の疾患に、誤った治療法〈家に閉じ込める、腫れ物のように扱う〉が拍車をかけた結果といちおうは類推できます。特にコリンは、メリーが図らずも「ヒステリー」と指摘したように「歩けないと思い込んでいるから歩けない」可能性が高い。

しかし、じゃあ一生歩けない子はどうなのか。

『クララは歩かなくてはいけないの？』という本で、イギリスの作家ロイス・キースは、〈一八五〇年からごく最近まで、歩くことができないという登場人物の問題を解決するには、作家たちには二つしか方法がなかった〉と述べています。〈治してしまうか、殺してしまうのだ〉と。運よく死を免れても、障害を受け入れて生きるという選択肢は許されない。障害は「克服されるべきもの」であり、車椅子は身体を束縛する道具としか考えられていない。〈歩けるか歩けないかへの関心は、単に象徴的なものとして物語をハッピーエンドにするための道具として使われていただけなのだろうか？〉

この問いかけは、歩ける歩けない問題を「自立の比喩」と見てスルーしてきた作者と読者に対する強烈な批判です。物語の中で奇跡が起きて、魔法のように足がなおるには、何か重要な体験を経なければならないとキースは述べています。

キースが指摘する通り、クララを立たせたのは車椅子を失ったことで芽生えた独立心でした。コリンを立たせたのはベンの侮蔑によって刺激されたプライドです。自然にふれて、精神的な成長をとげたことで、神の許しが下って奇跡が起きる。

多分に宗教的な観点が含まれているとはいえ、『ハイジ』や『秘密の花園』の根底にあるのは「健全な精神は健全な肉体に宿る」という、障害者差別を正当化しかねない思想でしょう。自然の力で子どもは健康を取り戻すという、一見正しいように思える思想とも、それは地続きです。肉体と精神の関係。「歴史的な限界」で片づけるには重すぎる課題を、作品が抱え込んでいるのも事実なのです。

コリンの物語をメリーの側から描き直せば

では終盤、物語がコリンに乗っ取られた問題はどうでしょう。このいまいましい父子に乗っ取られた結末を、おとなしく受け入れていいものか。

コリンにジャックされた終盤の展開を、メリーの側から描き直してみましょう。

メリーの変化に気づいたメドロックさんは、ある日、感慨深げに語ります。

〈ふとって、ひねくれたところが消えたら、そりゃまあ、かわいくなりましたわ。髪もふえてつやつやしてきましたし、顔色もすっかりよくなって〉

ふつうの大人はこれだけで満足します。しかし、ディッコンにすべてを打ち明けられたスーザン・ソワビーは別のところに注目します。

〈そうだったのかい！　あのちっちゃな嬢ちゃんがお屋敷に来なさったのがよかったんだね。自分も丈夫になるし、坊ちゃんも助かるし、自分の足で立ったたって！〉

スーザンはメリーのリーダーシップを評価したのです。実際、メリーは庭の再生計画をひとりではじめ、ディッコンを仲間に引き入れ、コリンの救済に乗りだし、最後はベンとスーザンに応援を求めた。みごとな判断力と実行力です。

そんなチームリーダーのメリーにしたら、コリンはチームの下っ端、むしろ支援対象です。が、そのコリンが一芝居打ちたいといってきた。ディッコンに解説してもらいます。

〈コリン坊ちゃんは自分で秘密を父さんに話したいのさ〉

それはコリンがはじめて自分の頭で考えた計画でした。ならば彼の望みをかなえ、成功させてやるしかない。コリンはおそろしく自己評価の低い少年だからです。

かくてメリーは「かわいそうね、コリンちゃん」なぞと大人を騙す芝居に精を出し、健康になったのがバレてはならじと屋敷内では食事を制限している二人のために、ディッコンは母が用意してくれた牛乳やパンやジャガイモを秘密の庭に運ぶ。

それでようやく実現した、父と息子の対面劇と父子そろっての屋敷への凱旋。

表舞台には出てきませんが、おそらくメリーとディッコンは少し離れた場所で、父子が感動の対面を果たすシーンを見守っていたはずです。で、その日のうちにメリーはコリンにいったのではないでしょうか。「若さま、これでご満足？　あんたに花を持たせてやったのよ。ありがたく思いなさいよ」

少女が少年を救う物語

どんなに荒れた庭でも、下草を刈り、水と肥料をやり、太陽の光を当てれば、葉を茂らせ花を咲かせる。子どもも同じだとこの小説は主張します。いいかえると、メリーのような女帝でも、コリンのような暴君でも真っ当な子になれる、と。

重要なのは、大人の手を介さず、子どもたちだけで、それがなしとげられたことでしょう。したがって、それは調教とはいえません。子どもたちだけの、いわば「プロジェクトX」です。動植物を育てる秘訣についてディッコンはいいます。〈何でも勢いよく育てようと思ったらね、母ちゃん。まず友だちになることだよ〉

その気になれば、メリーはコリンをもう一度、一喝することもできたでしょう。「歩けるようになったくらいで、いい気になるんじゃないわよ。なにが魔法よ。誰のおかげだと思ってんのよ」。しかし彼女はそうしなかった。チームリーダーとして成長したメリーはいまのコリンに何が必要か、経験上わかっていたからです。

歴史を通じて流布されてきたのは、男が女を、少年が少女を救う物語でした。『秘密の花園』はちがいます。ひとりの少年の力を借りて、メリーはもうひとりの少年を闇から救出したのです。しかも庭仕事という肉体労働を通して、です。少女がいつも救出される側だなんてのは思い込みにすぎません。

妄想ついでに三人の将来を想像すると、メリーは当時の女性には珍しかった造園家をめざすかもしれません。そしておそらくコリンの求愛（と勝手に決めていますが）は蹴るでしょう。いかに矯正されても、コリンはもともと暴君になる素養を持った子ですし、没落必至のミセルスウェイト屋敷が持ち直すとも思えない。

D・H・ロレンス『チャタレイ夫人の恋人』は、戦場で下半身を負傷した下級貴族の夫を捨てて、妻が森番の男と恋に落ちるラブロマンスでした。『秘密の花園』の将来の姿だとまでは申しません。でも、どういう男性が捨てられて、どういう男性が選ばれるかを示しているとはいえます。将来の三人がおかしな関係にならないことを祈るばかりです。

7

制約を乗りこえること

ワイルダー『大草原の小さな家』シリーズ

Little House Series

1932-43

ローラ・インガルス・ワイルダー（一八六七〜一九五七）

アメリカ・ウィスコンシン州に生まれる。少女時代は西部での開拓生活を送り、一八歳で同じ開拓民のアルマンゾ・ワイルダーと結婚。長女のローズは成長した後に作家となった。一九三二年、ローズのすすめで幼い頃の思い出をつづった子ども向けの物語『大きな森の小さな家』を発表。以後、これに続く自伝的な物語を書き続け、全米で大ヒットした。

★「インガルス一家の物語」1〜4
『大きな森の小さな家』恩地三保子訳、福音館文庫、二〇〇二年／『大草原の小さな家』同前／『プラム・クリークの土手で』同前／『シルバー・レイクの岸辺で』同、二〇〇三年

★「ローラ物語」1〜3
『長い冬』『大草原の小さな町』『この楽しき日々』すべて谷口由美子訳、岩波少年文庫、二〇〇〇年

じつは全九巻の長編小説

ローラ・インガルス・ワイルダー『大草原の小さな家』。本よりむしろ実写版のテレビドラマのほうが有名かもしれません。アメリカ・NBC制作のドラマ（一九七四年）をNHKが放送したのは一九七五～八二年でした。一部の邦訳もすでに出版されてはいましたが、知名度が上がって読者が急増したのはやはりドラマの放送以降でしょう。

主人公は作者と同じ名前のローラ・インガルス。作者自身をモデルにした半自伝的作品で、舞台は彼女の少女時代にあたる一八七〇～八〇年代です。

全九巻の長編児童文学で、『大草原の小さな家』はその二巻目。シリーズ全体がひと続きの物語になっており、ローラの幼少期から成人後までが描かれています。このうち、少女小説と呼べるのは一～七巻でしょう。（全九巻にはほかに、のちにローラの夫となったアルマンゾの少年時代を描いた『農場の少年』と、ローラの死後出版された、二人の新婚時代を描く『はじめの四年間』が含まれています）。

ワイルダーが自身の思い出を、覚え書き（『パイオニア・ガール』の表題で出版されています）の形で書きはじめたのは六〇歳をすぎてから。それをもとに、シリーズ第一巻にあたる『大きな森の小さな家』が出版されたのは六五歳のときでした。ワイルダーに本の執筆をすすめ、リライトに協力したのは娘のローズ・ワイルダー・レインです。ですので今日では、ローズとの共作と見る向きもあります。また自伝といっても事実そのものではなく、改変または創作された部分があることも判明しています。

合衆国の成立にかかわる西部開拓時代を描いていることもあり、ワイルダーはアメリカでは国民的な作家。本シリーズも熱狂的な支持を集めてきました。ただ、近年では人権問題などの観点から批判も提出されています。意外にこれは面倒な作品なのです。

両親そろったファミリーの物語

ともあれ物語内容を見ていきましょう。

〈むかしむかし、いまから百年（註・原文は六〇年）以上もまえに、北アメリカ、ウィスコンシン州の「大きな森」の、丸太づくりの小さな灰色の家に、小さな女の子が住んでいました〉。これが第一巻『大きな森の小さな家』の書きだしです。

『大草原の小さな家』シリーズ（以下「小さな家」シリーズ）が、ここまで見てきた少女小説と大きく異なるのは「両親そろったファミリーの物語」であることです。

主役のインガルス一家を構成するのは「とうさん」こと父のチャールズ、「かあさん」こと母のキャロライン。そして、長女のメアリイ（訳者が異なる後半ではメアリ）、次女のローラ、幼い三女キャリーの三姉妹です（後に四女のグレイスが加わります）。

両親がそろっている以上、親の力は排除できず、必然的に主人公の選択や行動にも制限がかけられます。少女小説はあの手この手で親を排除してきましたが、このシリーズは「排除できなかった場合」のテストケースともいえるわけです。

さて、第一巻はシリーズ全体のいわば序章。ローラ五〜六歳の時代です。「大きな森」には、他に家は一軒もなく、道もない。あるのは木ばかり、いるのは野生動物だけ。一家は丸太小屋に住み、シカやクマなどの狩猟を中心とした自給自足の生活をしています。獲物は母が塩漬けや燻製にし、牛の乳をしぼってバターやチーズを手作りし、野菜は自家菜園で収穫。現金収入は最寄りの町（ペピン）で父が毛皮を売って得る。毎日が重労働な超ワイルドライフですが、一家は幸福でした。

ところが、第二巻『大草原の小さな家』の冒頭で、突然父は、森を捨てて旅に出るといいだした。〈とうさんがいうのには、いまではこの「大きな森」に住んでいる人が多すぎるのだそうです〉〈野生の動物は、こんなにおおぜい人間がいる土地には、住まなくなるのです。とうさんも、やはり、住みたくないのです〉

父がいったんこうと決めたら、家族は従うしかありません。そうです。父親が君臨するファミリーの物語では、父の判断がすべてに優先するのです。

森を出て西の未開拓地に向かった一家

そんなわけで〈西部を見にいくことにきめたよ〉という父の鶴の一声で、家と牛を売り、幌馬車に家財道具を積み込んで、一家は住みなれた森を後にしました。

目指す新天地は、まだ開拓者が入っていない土地。何週間もかけて一〇〇〇キロもの距離を移動し、一家が次の居を定めたのは、カンザス州の大草原、先住民だけが住む「インディアン・テリトリー」と呼ばれる土地でした。

〈この土地は獲物でいっぱいだよ〉〈なあ、キャロライン、ここにはほしいものはなんでもあるよ。それこそ王者のように暮らせるってものさ〉

父はご機嫌です。が、わずか一年半後、彼はもっと西に行くといいだした。苦労して建てた家と土地が先住民の居住地にひっかかっていたのが理由でした（これについては後ほどあらためてお話しします）。

〈無法者みたいに、この土地から兵隊に追いたてられるのなら、ここにはいたかない！〉とかんしゃくを起こした父はいいます。〈いったいどうしたんです、チャールズ？　どこへいくんです？〉という母の問いかけにも、父は耳を貸しません。〈そんなこと、わかりゃしない！　だがでかけるんだ！〉

母は深いため息をつきます。〈一年間、むだになりましたね〉

引っ越しといっても、彼らの引っ越しは家から家への移動ではありません。移動中は幌馬車に寝泊まりする野宿同然の生活ですし、新天地は広い大地が広がっているだけの原野です。丸太を運んで家を建て、屋根をふき、窓をつけ、石と泥で暖炉や煙突をつくり、外に自力で井戸を掘る。引っ越しとは、その家と土地を捨て、次の土地でまた一からやり直すことを意味します。母がため息をつくのも無理はないでしょう。

引っ越し、引っ越し、また引っ越し

かくしてまたもや一〇〇〇キロ近い旅の末、たどりついた次の居住地はミネソタ州のプラム・クリーク（第三巻『プラム・クリークの土手で』）。ノルウェー人の入植者が先に入った土地でした。ここは町にも近く、もうじき九歳と八歳になるメアリイとローラは学校に通いはじめます。イナゴの大群に襲われるなど幾多の困難に直面しながらも、一家はここで五年をすごします。が、三たび、父の移動の虫がうずきはじめた。

〈この土地は、じつにすばらしいんだが、狩りの獲物が少ないんでね。もっと狩りのできる所へ行きたくなるね、西部のほうの――〉

今度の行き先は、ダコタ州（現サウスダコタ州）の鉄道敷設工事現場。父は鉄道会社の事務職として働きながら、新しい開拓農地を探すというのです（第四巻『シルバー・レイクの岸辺で』)。馬車で先に出た父を追い、母と娘たちは鉄道で移動します。〈何よりいいことに、われわれは、この土地にはいる、最初の入植者の仲間になるってことだよ、キャロライン! 開拓農地をさがすのだって、選りどり見どりなんだ〉

そうかもしれませんけどね。ウィスコンシン州→カンザス州→ミネソタ州→ダコタ州。この人はいったい何度引っ越しすれば気がすむのでしょう。

妻の思いとて同じ。ファミリーの物語では、父親の判断がすべてに優先すると申しましたが、インガルス家は「家庭内派閥抗争」の火種をも抱えこんでいたのです。

移動したがる父、定住を望む母

父母の意見は次のように集約されます。〈とうさんは、人が住みついてからもう何年もたって、狩りの獲物がろくにない土地は気にいらないのです〉。他方、〈かあさんは町に近い、落ちついたこの土地をはなれたくないのです〉。

移動し続けたい父と、定住を望む母。これがインガルス家の家庭内抗争です。

アメリカで西部開拓が本格化したのは一九世紀の初頭です。一八四八年にカリフォルニア州で金鉱が発見されると、一攫千金を狙う人々が世界中から押し寄せ(ゴールド・ラッシュですね)、それを機に西海岸側からの開発もはじまります。

インガルス一家が西をめざした一八七〇年代は、合衆国政府がミシシッピ川以西への入植を本格的にスタートさせた時期でした。南北戦争で敗北し、職を失った南部の人々が、再起をかけて西へ向かったケースも多かったようです。人々が西へ西へと向かったのは、早く入植したほうが有利だったことも関係していました。

最初の開拓民は無料か格安で土地を手に入れ、しばらく狩りをしながら作物を育て、土地が痩せてきたら次の入植者に土地を売って、自分はさらに西へ行く。

次の入植者は、最初の開拓民から開墾された土地を買い、腰を落ち着けて農業や牧畜をはじめ、やがて道を整備し、学校や教会を建てる。

そして町の形が整いはじめると、都市の大資本が進出してきて土地を買い占め、インフラを整備して町が発展する。――中西部の開拓はそのくり返しで進んできました。

ローラはとうさん派、メアリイはかあさん派

以上をインガルス家にあてはめると、父は最初の開拓民でいたかった、母は腰をすえて生活を切り開く二番目の入植者でいたかった、ということでしょう。

父のチャールズはけっして男性性を誇示する強権的なタイプではなく、家族に対して威圧的でもありません。ただ、天性の放浪癖だけは如何ともしがたい。人が増えただの、獲

物が減っただのと理由をつけては次の土地へ移りたがる。

一方、母のキャロラインは、結婚するまで教師をしていた堅実な女性です。早く定住の地を見つけ、子どもたちを学校に通わせて、きちんとした暮らしをしたがっている。真正面からぶつかることこそないものの、二人の思いは大きく食い違っています。

自由人の父にくらべると、母はそもそも保守的傾向の強い女性です。

父と鉄道の工事現場を見に行きたいとねだるローラに彼女は釘を刺します。

〈かあさんは、自分の娘たちが、いつも礼儀ただしく、静かな声でちゃんとした言葉で話し、行儀よくやさしくふるまい、淑女《レディ》として恥ずかしくないように育ってほしいのだといいました〉。ここが町になるまでは〈なるべく周囲とは関係をもたないでいたほうがいいと思っている。だから、ローラも飯場には近づかないようにして、ここにいるあらくれ男たちとは、ぜったいに知り合いになってほしくない〉というのです。

鉄砲玉みたいな男と結婚し、開拓生活を続けてきたのですし、教師の経験もあるのですから、彼女も頑迷な女性ではないでしょう。が、この人は東部や南部のジェンダー規範を死守したいと思っている。だから厄介なのです。

では娘たちはというと、次女のローラは完全に「とうさん派」です。好奇心旺盛で、外で遊ぶのを好み、父の仕事を手伝いたがり、新天地への移動をむしろ歓迎しています。

長女のメアリイは、勉強や家の中の仕事を好む優等生。母は将来彼女を教師にしたいと願っており、メアリイも乗り気です。この子はどう見ても「かあさん派」です。

ですが、いずれにしても、子どもたちに発言権や決定権はなく、親に従うしかありません。開拓地の暮らしとは、町の暮らしにもまして、親の権限が強い世界なのです。

一家の運命を変えた大きな転機

しかし、そんな一家にも転機が訪れます。

ダコタに来て一年。鉄道の基礎工事が終わり、労働者たちが去った後、あれほど西へ行きたがっていた父は、自分の希望を封印し、ここを定住の地に決めたのでした。

父は近隣に新しい土地を見つけて払い下げの申請をします。そして町（になる予定のデ・スメット）の通り沿いに、店舗と兼用の家を建て、開拓農地（になる予定の草原）にも仮小屋を建てます。五年間農業を続ければ、その土地の所有権が得られるという法律のためでした。それにしても、なぜそんな路線変更を？

プラム・クリークで、一家は大きな変化に直面していたのでした。

ひとつは四女のグレイスが生まれて、家族が六人になったこと。もうひとつは、猩紅熱《しょうこうねつ》をわずらって、長女のメアリイが視力を失ったことです。これは一家にとって、生活の転換を迫る大きな事件だったにちがいありません。

〈西部へ行きましょうよ〉〈なぜあたしたちは行けないの？〉と問うローラを父はたしなめます。〈とうさんにはわかってるよ、ローラ〉〈おまえととうさんは、渡り鳥みたいに飛んでいきたいんだよ、ね。だが、ずっとむかし、とうさんはかあさんに約束したんだ。娘たちにはかならず学問をさせるって。西部へ行けば、学校には行かれない。ここがいまに町になれば、学校もできるだろう。とうさんは、ここで自分の農地を国からもらうつもりだ、ローラ。そして、おまえたちを学校に通わせるんだ〉。

ローラは観念せざるを得なかった。〈とうさんは、ここの開拓農地でずっと暮らし、自分は学校へ行くしかないのだと〉

父が「家庭内抗争」に敗れた瞬間でした。

母は勝利宣言をします。〈ローラ、いまにかあさんに感謝するときがきっときますよ。それに、チャールズ、あなたもね〉。メアリイは一四歳。ローラはもうじき一三歳。ウィスコンシンの「大きな森」を出てから八年目のことでした。

「父の夢」から「母の夢」への方針転換

家庭内の実権が、父から母に委譲されたインガルス家。

「小さな家」シリーズの前半（一〜三巻）は「男親の夢に家族がつきあわされる物語」でした。一転、後半（四巻〜）は「女親の夢に家族がつきあわされる物語」です。どっちにしても、子どもたちに発言権や決定権はないことに変わりはない。

母の野望はさっそく、ローラの身にもふりかかってきました。

学校に行けと娘に命じた父は続けます。〈かあさんは、うちの娘たちのなかから、ひとりは先生にするつもりでいるんだよ。とすると、どうしてもおまえしかいない。だから、おまえは、どうしても教育を受けなけりゃならないだろ〉

なんで自分が姉の身代わりにされるのか。ローラには理解できません。

〈「いや、あたしはいやだ！」ローラは思うのでした。「あたしは先生になりたくはない！なれやしないのに」でも、ローラは自分にいいきかせるのでした。「いやでもなんでも、ならなけりゃいけないのよ」〉

こうなるともう、親は子どもの自由を奪う障害物です。幼い頃は父の夢に引きずりまわされ、成長したら母の夢にふりまわされる。みなしごの物語が流行るわけです。

ローラ、学校生活を満喫する

ただ、結果的にいうと、母の判断は正しかった。子どもが健康で文化的な最低限度の生活を営むには、やはり定住が欠かせないのです。一家はここで、何か月も列車が止まり、食糧や燃料が底をつくほどの壮絶な冬を体験しますが（第五巻『長い冬』）、冬を乗り切ることができたのも、町なかの家に住んでいたからだった。

物語が少女小説らしさを増すのも、町が発展しはじめた後、シリーズの構成にそっていえば、終盤の第六巻『大草原の小さな町』以降です。

人より遅く、一四歳で妹のキャリーと学校に通いはじめたローラは、学校生活を満喫します。母やメアリイと自宅学習を続けてきたおかげで、ローラの成績は優秀でしたし、同世代の友達もでき、ファッションに関心を持ち、東部から来たことを鼻にかけている級友と張り合い、親睦会や文芸会や学習発表会などのイベントも堪能します。

開拓地の学校では、さまざまな年齢の子がいっしょに学んでいます。学校は入植者の強い希望によって開設され、入植者の自治組織（学校委員会）によって運営されています。入植者ももとはみんな東部の人間。教育への関心は高かった。

ただ、ローラが勉強に励んだ理由は、自分のためではありません。

一家の分かれ道は、アイオワに盲人のための大学があると知ったことでした。

メアリイをその大学に入れてやりたい！

以来、メアリイの進学が一家の目標になったのでした。ローラの学校通いも、一六歳になれば教員免許がとれる。教師になれば、メアリイの進学資金と学費が稼げると考えたためだった。一家は惜しみなく働いて現金を貯め、一四歳になったローラもはじめてのアルバイト（町の仕立屋でシャツのボタンホールをかがる仕事）を経験します。

そして秋、メアリイは晴れて大学への進学を果たします。

何着もの服を母は縫い上げ、誰にも負けない仕度をして、メアリイは大学に送りだされます。政治経済、文学、高等数学から、裁縫、編み物、ビーズ細工、音楽まで、学ぶことは多々あります。卒業するまで七年。メアリを支える一家の生活はまだ続きます。

メアリイ、家を出て大学に行く

インガルス家の長女と次女の関係は、こうしてみると微妙です。

「小さな家」シリーズの主役はローラです。が、インガルス家の主役は完全にメアリイです。少女小説の主人公にふさわしいのも、じつはメアリイだったのではないか。

メアリイが失明した事情について、語り手は多くを語りません。

〈まだいくらか残っていた視力が、日に日に弱り、だんだん何も見えなくなっていった何週間もの間、メアリイは、ただの一度も泣いたりはしませんでした。いまでは、どんなに明るい光でさえ、もう見えはしないのです。それでもまだ、メアリイはじっと耐え、そして勇気をもちつづけているのです〉と、手みじかに述べるのみ。

メアリイはもともと聡明な少女でした。物語にはアイオワから帰省したメアリイが大学で身につけた点字の読み書きや、町で買い物をしたエピソードや、手芸の技を披露するくだりがあります。彼女の生き生きしたようすに一家は目を見張ります。

〈「一人で汽車にのって、こわくなかった？」／キャリーがたずねた。／「いいえ、ぜんぜん」メアリがほがらかに笑う。「まったく平気だったわよ。あたしたち、自分の力でいろいろなことができるように習ってきたもの。これも教育のひとつなのよ」〉

児童文学史的に見ると、この一件はひときわ大きな意味を持ちます。

かつて、物語の世界では障害者が障害を持ったまま生きることが許されなかったという批判を『秘密の花園』の章で紹介しました。歩行困難を克服した『ハイジ』のクララや『秘密の花園』のコリン。メアリイにはしかし、そんな奇跡は訪れません。

彼女は光を失っても目標を高く持ち、家族のもとを離れ、寄宿生活にひとり果敢に飛び込んだ。彼女は障害とともに生きる道に進んだ稀有な登場人物なのです。

作者のワイルダーにも、一四歳で視力を失った二歳上の姉（メアリイ・アミリア・インガルス）がいます。作中のメアリイと同様、アイオワの盲学校で一六歳から二四歳まで学んだ後、彼女は故郷に戻り、日曜学校で教えたりしながら六五年の生涯を全うしました。

作中のメアリイは〈いつか、本を書きたいと思っているの〉と表明しています。もしそれが実現していたら、あるいはワイルダーが姉の大学生活を克明に取材していたら、画期的な少女小説が誕生していたかもしれません。

家族の犠牲になったローラ

一方、ローラはどうだったか。この子は身勝手な両親と優秀な姉の犠牲になったのではないかという疑念が拭えません。活発で好奇心旺盛とはいえ、少女小説の超個性的な主人公たちに比べると、ローラはわりと地味な子です。親には逆らわないし、自分の夢もべつにない。でもそれは周囲が彼女の可能性を奪った結果ではなかったか。

メアリイの目が光を感じないとわかった朝、〈とうさんは、ローラに、メアリイの目になってやるのだよ、といったのでした〉。必ずそうすると約束したローラ。〈それからというもの、ローラはいつもメアリイの目になろうとつとめてきていたので、メアリイが、「ローラ、あたしにも見せて、おねがい」とたのむことはほとんどないのでした〉

妹としては立派ですが、一二歳の少女にはあまりにも過酷です。

ローラとメアリイの間にも確執があったことを次の会話は伝えています。

〈ねえさんて、いつもいい子でいようとしていたわよね〉〈ときどき、あたし、すごくい

らいらして、たたいてやりたくなったの〉

〈あんたがなぜあたしをたたきたいと思ったか、わかるわ。それはね、あたしが見せびらかしていたからよ。ほんとうはいい子でなんかいたくないのに、自分で自分に、いい子のところを見せびらかして、かっこをつけて、得意になっていたの〉

優秀で何でもこなす姉に、ローラはずっと劣等感を抱いていた。その上、姉の目になってやれ、姉の代わりに教師になれ、では救われません。

ローラに成長ポイントがあったとしたら、負けっぱなしだったその姉の力になれる、と自覚したときでしょう。あたしは姉さんの身代わりではないし奴隷でもない。あたしが姉さんを学校に入れてやる！　その使命感がローラの覚醒と自立を促したのです。

ローラ、仕事と恋を経験する

実際、役割意識に目覚めてからのローラの成長は早かった。

一五歳でローラははじめて家を離れます。冬の間だけ、新しくできる学校の教員を頼まれたのでした。〈ついきのうまで、ローラは学校の生徒だった。ところが今は先生だ。それもいきなりそうなってしまったのだ〉

開拓地の学校教師の多くは女性でした。要は男性より安い賃金で雇えたためです。ローラのように学校に在学中の生徒でも、一六歳で免許が取れれば教えることができました。もっともローラは一六歳未満でしたから、この採用は特例です。

赴任地は町から二〇キロも離れたブルースター開拓地。はじめてのひとり暮らしと、はじめての教員生活。下宿先の夫婦の仲は悪いし、悪ガキどもはいうことをきかないし、新米教師のローラは悪戦苦闘。〈毎日、ローラは自分が失敗ばかりしていると思い、みじめになる一方だった。もう、学校の先生を続けるのは無理だ〉

そんなローラを窮地から救ったのは、なんと少女小説には禁じ手の王子さまでした。吹雪の中、鈴の音を響かせ、彼は二頭立ての馬ぞりを駆ってやってきた。アルマンゾ・ワイルダー。ローラの一〇歳上で、父のチャールズとも顔見知りの有能な農夫です。

この人は女の子を落とす術を知っていたというべきでしょう。二人がはじめて親しく言葉をかわしたキッカケも、新車ならぬ新式の馬車だった。冬になる前のある日、二頭の馬にひかせたピカピカの軽装馬車で、彼はローラの前に颯爽と現れたのです。

〈学校まで乗っていきませんか？　そのほうが早いですよ〉

その後も何度となくローラをドライブに誘いだし、ローラが開拓地の学校に赴任した後は、雪の中、金曜日ごとに馬ぞりで彼女を迎えに向かいます。

先生の恋人が来たぞ！　子どもたちは大騒ぎ。土日を家ですごして鋭気をやしない、再びアルマンゾの馬ぞりで開拓地に戻るという生活を続けること二か月。

二人はすっかり打ち解けて、デ・スメットの町に戻った後もデートを重ねます。

ローラ、「寿退職」を決行する

そして一年後の春、とうとうローラは試験に合格し、念願の二級教員免許状を手にします。しかも思いがけない高給で、三か月間だけ、新しい開拓地の学校に迎えられます。生徒は三人だけの小さな学校。ここでの経験はローラに自信を与え、〈あたし、もっと大きな学校で、もっとお給料のいいところで教えたいのよ〉という欲求を芽生えさせます。あらためて試験を受け、三か月の約束で郊外の新しい学校に赴任したローラ。

しかし、何を思ったか、ほどなく彼女は教師を辞めるのです。

真冬の開拓地で二か月。生徒が三人の別の開拓地で三か月。町のはずれの学校で三か月。新しくできた学校を点々とする、いわば非正規雇用の渡り鳥教師ですが、それにしたってなぜ辞める？〈あたしは、独身の先生になるの〉と一度はいってたくせに。

退職の理由はアルマンゾにプロポーズされたことと、結婚までに自力で建てると約束していた婚約者の家が思いのほか早く建ったことでした。

かつて、ローラと母はこんな会話を交わしていています。

〈「かあさん、学校で何学期くらい教えたの？」／「二学期よ」／「それからどうなったの？」／「とうさんに会ったのよ」〉。「あ、そう」と答えながら、ローラは内心考えます。〈自分もうまくすればだれかに会えるかもしれない。そしたら、ずっと学校の先生をしなくてもいいかもしれないのだ〉

教師にあれほどこだわっていた母が「二学期しか教えていなかった」のも衝撃的ですが、反発していたその母とローラが同じ道を選んだのも衝撃的です。

どうしてそんなに結婚を急ぐのか、自分が来年帰省するまで、結婚式は延期してよと頼むメアリイに、ローラはやんわりいいかえします。〈ねえさん。あたしは十八歳よ、もう学校を三学期教えたわ。かあさんが教えたより一学期多いのよ。だから、もう教えたくないわ〉

ローラと同世代のアン・シャーリーが聞いたら蹴飛ばしたでしょう。一世代上のジョー・マーチには怖くて報告もできません。この安易な「寿退職」をどう考えるべきなのか。

飛んで火に入るアルマンゾ

近代の女性が早くから就くことができた職業は、どの国でも教師と看護婦でした。しかし、どの国でも多くの女性は結婚と同時に退職しました。家庭に入るか、独身で仕事を続けるかの二者択一。両立は考えられていなかった。

　主婦の仕事が片手間ではできなかったのも大きな理由でしょう。キャロラインの仕事ぶりを見れば、当時の家事がどれほど重労働だったかわかります。さらに農家では主婦も生産労働の重要な担い手でした。それもインガルス家を見ればわかります。

　しかしローラの場合は、個別の理由を考える必要があります。

　第一に、彼女はべつに教師になりたくてなったわけではなかった。

　第二に、彼女はもともと外で働く開拓民の仕事が好きだった。

　そこに都合よく現れた王子アルマンゾ。飛んで火に入るアルマンゾ。彼はミネソタ州の家族と離れて暮らす、独立心旺盛な農夫です。だとしたらそれは、婚活と就活を一度に果たす絶好のチャンスです。乗らない手はありません。

　同時にこの結婚が、彼女にとっては親に対する初の反逆、家族の都合を優先してきたローラが、はじめて自分の意思を通した選択だったことに注目すべきでしょう。ファミリーの物語にはファミリーの物語の制約があります。他の少女小説のように親が去ってくれないのなら、こっちから親元を去るしかありません。姉はひと足先に家を出て自分の道を歩きはじめた。ローラが結婚を急いだのは、家から早く出るためだったともいえます。

　インガルス家の経済は安定し、メアリイの学費の心配もなくなった。しかも自分は母より一学期多く働いた。何か文句ある？

私がここから感じるのは、相手の思惑を利用し、ときには逆手にとって自らの意思を通す「被抑圧者の知恵」です。女性の地位が低く、制約も多かった時代、ローラのような形で自己実現の道を探った女性は実際にも多かったのではないでしょうか。

開拓小屋に侵入したインディアン

後まわしにしていた先住民の問題について、補足しておきます。

第二巻『大草原の小さな家』には、先住民（アメリカ・インディアン）が重要な要素として、何回も登場します。ひとつだけ例をあげます。

父が朝から狩りに出かけて留守だった日、番犬ジャックの唸り声で、外にいたローラとメアリイは異変に気づきます。〈はだかのインディアンがふたり、ひとりが先に立って、こちらへむかって歩いてくるではありませんか〉

家の中には母と妹のキャリーがいる。ローラは急いで助けに向かいます。

〈その顔は、見るからにおそろしく、あらっぽい、たけだけしい表情をしているのです。黒い目はギラギラ光っていました〉〈(ローラは) インディアンが、かあさんの焼いたひきわりトウモロコシのパンを食べているのを見ました。ふたりは、ひとかけらも残さず食べ、

炉ばたにこぼれたパンくずまで拾ってしまいました〉

描かれているのは「略奪者」「侵入者」としての先住民の姿です。〈かあさんはベッドに腰をおろし、ローラとメアリイをもういちどぎゅっと抱きしめたま、ぶるぶるふるえだしました。顔があおくなっています〉〈ローラは鼻にしわをよせていいます。「あのインディアン、すごくいやなにおいがした」／「からだにつけていたスカンクの毛皮ですよ」かあさんがいいました〉

まるで野生動物に襲われたかのような描写です。

母からその日の出来事を聞いた父は〈それでよかったんだ〉といいます。〈インディアンを敵にまわすようなことは、ぜったいしたくないからな〉

インディアンをどこまでも毛嫌いする母と、彼らに一定の理解を示す父。ここにも夫婦の温度差があるのですが、いずれにしても『大草原の小さな家』は先住民を得体の知れない不気味な「賊」、平和を乱す「略奪者」として描いています。

しかし、賢明な読者はお気づきでしょう。真の略奪者はどっちだったのか。

入植者の論理、先住民の事情

西部開拓時代は、開拓の最前線（フロンティア）が一八九〇年に西海岸のカリフォルニアに到達したことで一段落します。ですがご承知のように、北米開拓史は、白人が先住民の土地と権利を奪う収奪の歴史そのものです。

インガルス一家がいた時期、この地域に住んでいた先住民はオーセイジ族です。彼らは政府の強制移住政策に従って西へ移住しはじめていましたが、南北戦争後の政府の無策で、生活の困窮と飢えに苦しんでいた。白人の入植者を侵入者とみなす先住民と、先住民の略奪におびえる入植者は、一触即発の状態にあったといわれます。

一家がここを後にしたのは、家と農地が先住民の居留地に引っかかっており、当局に追い出されるという噂を聞いて、父がヤケを起こしたためでした。

児童文学として書かれた『大草原の小さな家』は、先住民とのトラブルが発生した政治的な背景には立ち入りません。父は先住民に同情的ですらあります。とはいえシリーズ全体に流れる白人中心主義、先住民への偏見は拭いがたい。

インガルス家と親しい入植者のスコットさんの妻はいいます。〈インディアンは、この土地に何ひとついいことをしてやしませんからね。ただあちこちうろつき歩いてるだけじゃないですか、野生の動物みたいに。条約がどうあろうと、土地はそれを耕す者たちのものなのですよ〉。夫のスコットさんにいたっては、〈いいインディアンなんてものは、死んだインディアンだけさ〉とまでいい放ちます。

本書がアメリカ史の副読本に使われていたこともあり、先住民に対する右のような描写や会話は、一九九〇年代以降、人種や民族や宗教の多様性を重んじるＰＣ（ポリティカル・コレクトネス）の観点から大きな批判を浴びることになりました。

底に流れる新自由主義的な思想

このシリーズにはもうひとつ、思想的な問題があります。

第六巻『大草原の小さな町』にはローラが学習発表会でアメリカ史を語って観客を魅了するくだりがありますが、そこから黒人奴隷制度に関する史実は抜けています。

このシリーズはそもそも愛国的、保守的な思想の下で生まれた作品でした。

本書が書かれた一九三〇年代は世界恐慌（一九二九年）の直後です。経済が壊滅的な打撃を受け、町には失業者があふれていた。そうした人々を救済する目的で、当時のルーズベルト大統領が発令したのがニューディール政策でした。が、ワイルダーも娘のローズも共和党支持者で、ニューディール政策には反対の立場だった。

物語を振り返ればわかります。本書の根底に流れているのは、自助努力を重んじる価値観です。家族があくまで自力で生活を切り開く。政府や州の援助や介入は受けつけない。それは「小さな政府」を志向する、今日の新自由主義に近似します。

開拓地の学校に赴任する際、父はローラを励まします。〈自分のすることに自信を持てば、なんでも克服できるさ。おまえは自分に自信を持っている。それさえあれば、ほかの人におまえを信じてもらうことができるんだよ〉

もっと前に、母はローラにいいました。〈この世で暮らすのは、闘いですよ〉〈ずっとそうだったし、これからもつづくのよ。そういうものだとさっさと覚悟してしまえば、らくになって、今持っている幸せに感謝できるようになりますよ〉

一般論としてはすばらしい激励の言葉です。しかし、こうした自己責任論が、ときには人を追いつめる。フロンティア精神はネオリベラリズムと親和性が高いのです。さらに西部開拓を正当化する「土地はそれを耕す者のもの」という発想は「パクス・アメリカーナ」と称される二〇世紀後半のアメリカの姿とも重なります。

自然は戦って征服する相手

西部開拓史という「あらくれ男たちの世界」に少女を置き、少女の視点で開拓史を描いてみせたのが、この物語の特徴です。女性の視点から見た開拓史。「小さな家」シリーズの最大の魅力も人気の秘密も、そこにあるといえましょう。

一方、日本国内に目を転じると、この作品が好評を博したのは、雄大な自然の中で暮らす一家の生活そのものが解放感を与えたのだと思われます。せせこましい日本で、家と学校と塾を行き来するような生活に飽き飽きしている子どもたちにとって、西部の大自然と開拓生活、ローラ・インガルスの姿は憧れの対象だった。

ただ、開拓者にとっての自然は、『ハイジ』や『秘密の花園』で描かれた自然とは意味がちがい、戦って征服すべき相手です。だから自然の脅威が強調されるわけですし、それは先住民を「自然の脅威の一部」とみなして排斥する視線ともつながっています。よくも悪くも、このシリーズはたいへん「アメリカ的」なのです。

『大草原の小さな家』には、馬に乗ったオーセイジ族が行列をなして移動する誇り高い姿が描かれています。ローラは黒い髪と褐色の肌の子どもたちに魅せられ、小馬の横腹につけた籠の中の小さな赤ん坊がほしいと騒いで父母を困らせます。インディアンのキャンプ跡に残された美しい飾り玉を宝物のように拾い集めたこともあるローラ。大人のような偏見に、作中のローラはまだまみれていません。あとちょっとで、インディアンの子どもたちと友達になれるチャンスもあったかもしれないんですよね。

「従います」とはいいたくない

成長したローラに話を戻します。六〇歳をすぎて人気作家になるという、いわば「リベンジ」を果たしたのですから、彼女の中にも強い自負心、自己表現欲求が眠っていたということでしょう。その片鱗は次のような会話からもうかがえます。

結婚式の準備中、勇気を出してローラは尋ねます。〈アルマンゾ、あたし、お願いがあるの。誓いのことばをいうときに、あなたに従います、といってほしい？〉。同じ教師である自分の姉を引き合いに出し、〈きみもイライザみたいに、女性の権利を主張する人なのかい？〉と質問するアルマンゾ。いいえ、とローラは答えます。

〈あたしは選挙権を望んではいないわ。だけど、自分で守れない約束はしたくないのよ。あたしはね、自分がいいと思うことに反してまで、人に従うことは、たとえ努力してもできないと思うの〉

これは彼女の独立宣言。結婚はするけど服従はしないという意思表示でしょう。

早く式をしたいからウェディングドレスはいらないと断って、ローラは黒い礼服で婚礼に臨みます。それは過去との決別、父母の呪縛を断ち切る覚悟の証ではなかったか。どこかの段階で、彼女は「もうわきまえない」と思ったにちがいないのです。

インガルス家の人々は誰も、ローラを父や母や姉の犠牲にしたとは思っていなかったはずです。だから愛情に縛られた家族はこわいのです。一八歳ではじめて自分の意思を通したローラには、ひとまず「よくやった！」という賛辞をおくるべきでしょう。

8

冒険に踏み出すこと

ケストナー『ふたりのロッテ』

Das doppelte Lottchen

1949

エーリヒ・ケストナー（一八九九〜一九七四）

ドイツのドレスデンに生まれる。貧しい家庭で育って教員養成学校に進学。第一次世界大戦に従軍した後、ライプチヒ大学を卒業、新聞社に勤める。一九二八年、『エーミールと探偵たち』で成功をおさめるもナチス政権下で執筆を禁じられる。第二次大戦後に西ドイツで出版された『ふたりのロッテ』がベストセラーとなり、五一年から西ドイツの初代ペンクラブ会長を務めた。

★『ふたりのロッテ』高橋健二訳、「ケストナー少年文学全集6」岩波書店、一九六二年

少女が主役の冒険小説

エーリヒ・ケストナーは、二〇世紀を代表する児童文学作家です。『エーミールと探偵たち』『飛ぶ教室』など、少年が活躍する多くの物語を残しました。なかで唯一の少女小説といえるのが『ふたりのロッテ』です。

この作品は、もともとは第二次世界大戦中の一九四二年、ケストナーが映画の脚本として構想したものでした。ですが、ケストナーはナチス政権下のドイツで「好ましからざる作家」として執筆を禁じられ、映画も実現しませんでした。

映画が高い評価を得、同時に出版された本も大ヒットしたのは戦後、一九四九年です。日本では岩波少年文庫の一冊として、一九五〇年に高橋健二の訳で出版されています。アニメや劇団四季のミュージカルでご存じの方もいるでしょう。

この作品の最大のポイントは、両親の離婚を描いていることです。

児童文学にとって親の離婚は長い間タブーでした。両親を亡くした孤児やひとり親家庭の子どもは多いのに、なぜ離婚というプロットは排除されたのか。離婚自体が少なかった（逆に死別は多かった）のも事実でしょうが、大人の男女のゴタゴタを子どもには見せたくなかった、あるいは近代家族（父は外で働き、母は家を守る性別分業家庭）を理想とする価値観には合わないと判断されたのかもしれません。

『ふたりのロッテ』は次章で取り上げる『長くつ下のピッピ』より後の時代の作品です。家庭小説として書かれた物語ではなく、何年にもわたる少女の成長譚という少女小説のパターンからも外れています。ほんの数か月の出来事をサスペンスフルに描いた、これは冒険小説といったほうがいいでしょう。さて、どんなお話?

夏の子どもの家で出会った姉妹

物語は湖のほとりのゼービュール村という架空の村からはじまります。

〈みなさんは、いったいゼービュールをご存じですか。山のなかの村、ゼービュールを? ビュールゼー湖のほとりのゼービュール村を? いや、知らないって? これは奇妙なこと——だれにたずねても、ゼービュールを知りません!〉

映画のナレーションを思わせる、巧みな書きだし。ゼービュール村には少女たちが休暇をすごすための「子どもの家」があり、この夏も大勢の少女たちが来ていました。特にその日は、南ドイツのミュンヘンから二〇人の新しい仲間が到着することになっていて、ウィーンから先に来ていたグループは気もそぞろ。

ミュンヘンから来たこの新入りチームにまじっていたのが、主人公のひとりロッテ・ケルナーです。先に来ていた子たちは仰天します。ロッテは、ウィーン組のルイーゼ・パルフィー、すなわち本書のもうひとりの主人公と瓜二つだったのです。〈なるほど、ひとりは巻き毛を長くのばし、もうひとりはきちっと編んでお下げにしています。――しかし、実際それがたった一つのちがいなのです!〉

子どもの家の校長も、子どもたちを世話するスタッフもびっくり仰天。「あなたがたは身うちなの?」という校長の質問に、二人の少女は首をふるばかりです。ことにルイーゼは不機嫌さを隠しません。一触即発の雰囲気を感じとった校長は一計を案じます。〈ロッテ・ケルナーはルイーゼ・パルフィーのとなりに寝かせます!　たがいに親しみあうようにしなければなりません〉

ロッテとルイーゼ、作戦を練る

これが二人の出会いでした。最初のうちこそピリピリしていたものの、校長の荒療治は功を奏しました。ほどなく二人は、同じお下げ髪で登場してみんなをあっといわせ、村の写真館で二人いっしょの写真を撮ってもらうほど、打ち解けた関係になります(このとき撮った写真がのちのち大きな役割を果たすのですが)。

もちろん二人は、偶然、顔かたちが似ていたわけではありません。〈「あんた九つだったわね?」とルイーゼがたずねます。/「ええ、」とロッテがうなずき

ます。「十月十四日で――十になるの。」〉〈「あたしも！」〉

〈「それで、あんたはどこで生まれたの？」／ルイーゼは、なんだか、こわいことでもあるように、小声でためらいながら答えます。「ドナウ川のリンツで！」／ロッテはかわいたくちびるを舌でなめます。／「あたしも！」〉

二人は父母の離婚によって離ればなれにされた、ふたごの姉妹だった。

ルイーゼはオーストリアのウィーン、ロッテはドイツのミュンヘン。国境を隔てた別の国で育った二人の、奇跡のような偶然の出会い。以来、二人は片時も離れずいっしょにすごすようになりますが、それは姉妹に会えて感動したためではありません。

〈ロッテは、「この前かけはおかあさんが、オーバーポリンガーで買ったのよ、」といいます。／「ああ、そう、」とルイーゼはいいます。「ノイハウザー通りの百貨店ね……ええと……なんとか門だったわね？」／「カール門よ。」／「そうそう、カール門のそばのね……」／ふたりはもうおたがいに、相手の暮らしむきの習慣や、学校友だちや、となりの人たちや、女の先生たちや、相手の住まいのことをよく心得ています！〉

ひとりが自分の生活について話し、もうひとりは克明なメモを取る。

誰にも知られないよう入れ替わり、何食わぬ顔で、ルイーゼはミュンヘンの母のもとに、ロッテはウィーンの父のもとに「帰る」。それが姉妹の計画でした。

一見楽しそうですが、これは気まぐれや冗談で入れ替わろうなんて、甘い話じゃありません、顔は瓜二つでも、性格も育った環境も異なる二人。〈これからさきの冒険のための準備は徹底的でした〉と語り手はいいます。〈菊倍判《きくばいばん》の帳面がメモですきまもないくらいです。こまった時や、思いがけぬ大事件が起きた場あいは、たがいに、局どめ郵便を書くはずです〉

冒険は男の子の専売特許ではありません。未踏の地に乗りこむという意味で、二人の計画はまさに冒険だった。情報を集め、作戦を練り、攻め方を考え、万一の危機に備える。夏の間に彼女たちがやっていたのは、ちゃんとした探検家と同じ準備だったのです。

ロッテとルイーゼ、復讐を誓う

この状況を語り手は「新大陸の発見」にたとえています。〈今まで子どもの空に包まれていたものは、じぶんたちの世界の半分にすぎなかったのです。そういうことが、にわかにわかったのです！〉。だから〈二つの半球をつなぎ合わして、全体を見わたせるようにする〉必要がある。

〈ふたごは、じぶんたちが事情を知っていることを、やはり両親に話さないつもりです。父と母に決定を強いようとは思いません。そんな権利がじぶんたちにはないことを、ふたりは感づいています〉。がしかし、〈何ごともなかったようなふうをして、もとの所へもどること、両親からいやおうなしにあてがわれた半分の世界で暮らしつづけること、そんなまねをすることは、しのびなかった〉。

二人が入れ替わりを選んだ理由の、ひとつは未知の父や母に会いたいという欲求でした。が、もうひとつは離婚した両親への、怒りに似た思いでした。

〈なぜあたしたちを二つに分けちゃったの?〉〈「なぜおとうさんはあんたに、おかあさんが生きてることを、ちっとも話さなかったの?」/「そしておかあさんは、おとうさんの生きてることを、あんたにかくしていたのね?」〉。そしてルイーゼはいい放ちます。〈いい両親だわね、どう? まあ、おぼえているがいいわ、いつかふたりにあたしたちの意見をいってやるから! おどろくわよ!〉

二人の行動のモチベーションは再会の喜びではなく、憤懣やるかたない思いだった。生き別れになった姉妹の物語だからといって、センチメンタルなメロドラマと思ってもらっちゃ困ります。二人はここで、いわば両親への復讐を誓ったのです。

忙しすぎる母、家はほったらかしの父

で、二人が育った家庭ですが、この親たちは、母も父も問題含みです。娘に甘い『小公

女』のクルー大尉といい、娘を放置した『秘密の花園』の両親といい、少女小説に登場する親のなかにも問題児はいなかったわけではありませんが、こういう親は早々に（作者の手で）殺されました。『若草物語』の両親も、『大草原の小さな家』の両親も、大人の目で読めば「どうなのよ」なところはありますが、タテマエ上は、娘たちに最大限の愛情を注ぐ「理想的な親」として描かれていました。

『ふたりのロッテ』はちがいます。ケストナーの小説では誰ひとり理想化されず、擁護もされません。親たちの身勝手さも、容赦なく描いてしまう。

ドイツのミュンヘンに住む母のルイーゼロッテ・ケルナーは「ミュンヘン・グラフ」社という出版社のグラビア担当編集者です。仕事に生きる多忙なシングルマザー。きわめて現代的な女性といえましょう。母が彼女を「うちの小さい主婦さん」と呼ぶように、娘のロッテは母に代わって家事を担当してきたのでした。〈あんたは年のわりにまじめすぎるわ〉と母が評するロッテの性格は家庭の事情に由来するものだった。

一方、オーストリアのウィーンに住む父のルートウィッヒ・パルフィーは、ウィーン国立歌劇場の常任指揮者であり、作曲家でもある大金持ちの芸術家です。この人は芸術家らしい変わり者で、曲の着想がわくと他のことに意識がいかなくなるため、自宅のほかに仕事部屋を持ち、娘の世話は使用人に任せっぱなしです。

六年前にこの夫婦が離婚した理由も、夫が仕事部屋に行きっぱなしで、二〇歳そこそこの妻と小さな娘たちをほったらかしにしたためでした。夫の仕事場に女のオペラ歌手が出入りしていると知って、妻は離婚を決意したのです。

家庭環境を考えれば、姉妹がそれぞれ、誰にもいえない寂しさを抱えていたことは容易に想像がつきます。母／父は仕事で忙しい。自分が迷惑をかけてはいけないし、わがままもいってはいけない。血のつながった姉妹である前に、似たような境遇で育った子ども同士だからこそ、二人は意気投合したのだと考えるべきでしょう。

ルイーゼの料理、ロッテのオムレツ

ともあれ、こうして二人は作戦を練り、子どもの家での最終日には入れ替わった姿で送別会に臨むという予行演習までやって、それぞれの地に旅立ちます。

ロッテのふりをしてミュンヘンに来たルイーゼの最初の試練は、ミュンヘン駅でさんざん母に待たされたこと。そして、もう一度会社に戻るという母のために、家で料理をすることでした。キッチンで格闘したルイーゼはくたびれ果てます。〈ああ、ロッテちゃん！　あんたのきょうだいになるのは、容易じゃないわ！〉〈おこらないで、おかあさん！　あたし、もうお料理ができそうにないの！〉

一方、ルイーゼのふりをしてウィーンに来たロッテの最初の試練は、ホテル・インペリアルのレストランで嫌いなオムレツを食べることでした。もう食べられないと訴えても、ボーイは許してくれません。〈やっと五つめですよ！〉。ロッテもまた悟ります。〈じぶんのきょうだいになることは、やっぱりそんなに簡単なことではありません〉

それでも二人は、自分の性格を変えることまではしなかった。

ロッテのふりをしたルイーゼは、初日のうちに、町で出くわした同級生がアンニー・ハーバーゼッツァーだと知るや、唐突に意見します。〈あたしはあんたにとても腹をたててるのよ、イルゼ・メルクのことで。おぼえがあるでしょう〉。アンニーはクラスでいちばん小さいイルゼをいじめていると、ロッテから聞いていたからです。

ルイーゼのふりをしたロッテは、初日に家計簿をチェックして、〈あたし、これからいつもあんたの計算をしなおすわ〉と、家政婦のレージにいいわたします。レージがうそつきであることをルイーゼから聞いており、家計簿がミスだらけ（しかもレージが得するようなミスだらけ）であることを早くも発見したからです。

ロッテとルイーゼ、周囲の人々を変える

入れ替わり効果はてきめんでした。数週間のあいだに、姉妹は驚くべき「変身なりすましパワー」で、周囲の人々まで変えてしまいます。
ロッテ（本当はルイーゼ）は、家でも学校でも以前ほど勤勉ではなくなったかわりに元気で陽気な子になって、母を反省させました。母は自分に語りかけます。〈ルイーゼロッテよ。おまえは、従順な小さいものを、主婦にしてしまっていた。だが、子どもにはしなかった！〉〈ロッテちゃんがほがらかに幸福になったことを喜びなさい！　ロッテちゃんがおさらを洗う時、一枚ぐらい割ったって心配しなくていいんだわ！〉
ルイーゼ（本当はロッテ）は、以前より注意深くなり、算数もできるようになったことで教師を驚嘆させ、家事全般から家計管理にまで気を配って、ルーズだった家政婦のレージを改心させ、以前はピアノを毛嫌いしていた娘がピアノに興味をもったことで、父親を感激させます。〈わたしはあの子にピアノを教えているんです！　それがあの子には、おもしろくてたまらないんです。そしてわたしにも〉
仕事一辺倒だった両親が娘に関心をはらうようになった。それだけでも入れ替わったかいがあったといえます。いえますが、姉妹のミッションは父母を感動させることではありません。「おぼえているがいいわ」という案件はどうなったのか。

ロッテ、ボスキャラに遭遇する

ロッテとルイーゼ、入れ替わった後の二人の境遇を考えると、どちらが得をしたとも損をしたともいえません。しかし、ひとつだけはっきりしていることがある。過酷さという点でいえば、ロッテのほうがはるかに大きな困難に直面していた。

理由もはっきりしています。父には若い恋人がいたのです。それはロッテがルイーゼから得た情報には含まれていない事実だった。

問題の人物はイレーネ・ゲルラハ嬢。若くて魅力的な女性です。しかも彼女は策謀家。オペラ座のさじき席の隣にすわって、艶然と微笑み、「あんたも少しどう？」とロッテにチョコレートをすすめてくる。父が指揮するオペラの「ヘンゼルとグレーテル」、親が子を捨てるこの物語がロッテには他人事と思えません。〈これも魔女なのでしょうか。舞台の上のよりも美しい魔女なのでしょうか〉

ゲルラハ嬢はパルフィー氏と結婚する気でいました。彼は有名人ですし、二人は互いに好きあっている。結婚に支障はありません。障害はひとつ。〈あのばかな子どもです！でも、イレーネがルートウィッヒの赤ちゃんをひとりかふたり生んだら、万事思うとおりになるでしょう。イレーネ・ゲルラハはやはり、このまじめな内気なしまつのわるい子を、かたづけてしまうでしょう！〉。そう、寄宿学校に入れるとかしてね。

未踏の「新世界」に踏み込む冒険小説としてスタートした『ふたりのロッテ』は、ここにいたってついに「敵」と遭遇したのです。自分たちから父を奪い、父と母が再会する機会を失わせ、姉妹の希望を打ち砕くボスキャラともいうべき敵と！

冒険物語のパターンに当てはめると

『ふたりのロッテ』は冒険小説であると申しました。

このような冒険物語には共通したパターンがあることが知られています。ウラジミール・プロップ『昔話の形態学』やジョーゼフ・キャンベル『千の顔をもつ英雄』は、こうした伝説や物語を分析した本で、とりわけキャンベルは古今東西の英雄伝説を分析し、「英雄の旅（ヒーローズ・ジャーニー）」という概念を提出しました。

キャンベルの分析は、十数個のプロットに分けられていますが、もう少し簡略化して紹介すると、それはこんな具合になります。

①冒険への誘い　何らかの出来事をキッカケに、主人公が変化に直面する。
②冒険の拒否　主人公は未知のものにおそれを感じ、冒険から逃げようとする。
③旅のはじまり　主人公が日常を離れて冒険に旅立つ。

④戸口の通過　未知の世界で、主人公は最初の試練に遭遇する。
⑤最大の試練　ドラゴン、モンスター、悪魔、魔女などの大きな敵が現れる。
⑥報酬　敵に打ち勝つことで主人公は変化し、探していた宝物を手に入れる。
⑦帰還　主人公が宝物を持って、もとの日常に帰還する。

「桃太郎」のような昔話も、「スターウォーズ」のようなSF冒険映画も、「ドラゴンクエスト」のようなゲームも、ほぼこのパターンを踏襲しています。特に重要なのは⑤の段階。敵を倒すことで、主人公は冒険者から英雄に昇格するのです。

『ふたりのロッテ』にもこの法則は当てはまります。子どもの家で姉妹が出会うのが①、お互いの存在に反発するのが②、粛々と準備を進めてルイーゼはミュンヘンに、ロッテはウィーンに旅立つのが③。ルイーゼは料理と悪戦苦闘し、ロッテはオムレツと格闘するのが④といえます。本書も英雄伝説のパターンを踏襲しているのです。

しかし、⑤の段階に進んだのはロッテだけだった。

タイトルが『ふたりのロッテ』である意味が、ここで明らかになります。「ふたりのロッテ」(原題は「ダブルのロッテ」)とは、具体的にはゼービュール村の写真館で撮ったお下げ髪の姉妹の写真に由来します。しかし、唯一の同志とはいえ、ルイーゼはあくまでもサポート役です。この物語の真の主役は、より大きな困難に直面し、ひとりで敵と戦わざるを得なくなったロッテです。なにしろルイーゼはロッテに知らされるまで、父に恋人がいることさえ気づいていなかったのですから。

ロッテ、魔女との戦いに挑む

かくして、父とゲルラハ嬢のただならぬ関係を察知したロッテは、まず父の仕事場に乗り込みます。〈こんにちは、おとうさん！　新しい花をもってきたわ！〉

ロッテは、光がさんさんと入る父のいまの仕事場と、自宅の隣にある画家のガベーレさんのアトリエを交換しないかと進言しにきたのです。そうすれば、ガベーレさんは光の入るアトリエを得られるし、おとうさんはあたしたちのすぐ隣にいられる、と。

ゲルラハ嬢は敵の思惑を察して警戒感を強めます。〈まあ、ちびのくせに、すごいやつだわ！〉。ぐずぐずしてはいられない。語り手はいいます。

〈(ゲルラハ嬢は) じぶんの武器を知っています。それを使うことを心得ています。武器のききめを知っています。彼女の矢はのこらず、ぴくぴくするまとに、楽長の芸術家らしい心臓に向かって放たれました。矢はすべてまとの中心にあたりました。さかかぎのある矢は全部、男の胸に、愛する敵の胸にしっかりささっています〉

大人向けの小説だったら、このへんの「色じかけ」はもっといやらしく、もっとエロチックに描かれたかもしれません。が、児童文学ではこれが限界。魔女の毒矢にやられたパルフィー氏は、ゲルラハ嬢にプロポーズしてしまいました。

ロッテ、魔女の館で力尽きる

イレーネ・ゲルラハ嬢は、少女小説界きってのヒールといえます。他の作品にも意地悪な同級生や頭の固い女教師や女中頭など、数々の敵は登場しますが、主人公を「殺す」ほどではありません。ゲルラハ嬢はちがいます。彼女はルイーゼのママハハ候補。結婚したら、ルイーゼをなんらかの方法で消そうと企んでいます。

そんなゲルラハ嬢と対峙することで、ロッテははじめて自らの使命を自覚したのではなかったでしょうか。失われた「もう半分の世界」を取り戻すという漠然とした目標があっただけで、姉妹が入れ替わった時点では、どこに着地点があるか明確ではありませんでした。しかし、魔女の登場でミッションははっきりしました。父を別の女と結婚させてはいけない、両親は再びいっしょになるべきなのだ、と。

もしこれが、母の存在を知らない頃のルイーゼだったら、父の恋人にこれほどの衝撃は受けず、父の希望を受け入れたかもしれません。しかしこれまでの人生を母と二人で歩んできて、いまは父と暮らすロッテには、別の女の出現が許せなかった。

ロッテが取った行動はストレートでした。

〈わたしはまた結婚することにきめたんだよ〉という父の残酷な宣告に対して、ロッテは〈いけません！〉と叫びます。〈どうか、しないで、おとうさん、どうか、しないで、どうか、どうか、しないで！〉

さらに彼女はゲルラハ嬢の家に押しかけて、直談判におよびます。〈あなたはおとうさんと結婚してはいけません！〉。〈「なぜいけないの？」／「いけないからです！」／「あまりなっとくのいく説明じゃありませんわね」〉

残念ながら魔女のいう通りです。「だめだからだめ」では、相手は説得できません。

ここでロッテは力尽きました。無念にも、その日家に帰ってから、高熱で倒れてしまったのです。お医者の見立ては〈お子さんは、明らかに重い精神的危機におちいっています〉。ゲルラハ嬢は毒づきます。〈あんなちびのくせに、すごいやつ！〉〈手段をえらばず戦うがいい！　とことについて、仮病をつかうがいい！〉

さすがは魔女！　ドスが効いてる！

その魔女と、ロッテは勇敢に戦いました。けれどもみごと玉砕、英雄になりそこねた。彼女ひとりの力ではミッションは達成できなかったのです。

ルイーゼ、ロッテの窮地を救う

一方、その頃ミュンヘンでは、ルイーゼがロッテに何かがあったのではないかと気をもんでいました。局止めの郵便が来なくなったからです。

硬直した事態に風穴をあけたのは、意外な出来事でした。母が勤務する「ミュンヘン・グラフ」誌に、一枚の写真が送られてきたのです。ロッテとルイーゼがゼービュール村の写真館で撮った、二人いっしょの写真でした。入れ替わると決めたとき、それは破り捨てたはずでした。が、こういう写真はグラフ誌も興味を持つにちがいないと、写真館の主人は考えて、ミュンヘン・グラフ社に送ってきた。

母はすべてを察知します。ルイーゼは母にすべてを白状しました。

力尽きたロッテに代わって、ルイーゼの出番が来た。事情は理解したものの、このあとどうすべきかと悩む母に、ルイーゼは提案します。〈ロッテちゃんは、きっととてもおかあさんを恋いしがっているわ。そしておかあさんもロッテちゃんに、そうでしょう、おかあさん?〉そして自分もおとうさんに会いたい、と。

母がウィーンにかけた電話で事情を知り、狼狽する父。ロッテが病気だと知って途方に暮れる母。重苦しい空気を破ったのはルイーゼでした。〈こちらはルイーゼよ! こんにちは、おとうさん! あたしたちウィーンにいってもいい? 大いそぎで?〉

こうしてみると、いまさらながら、ルイーゼとロッテは名コンビであったことに気づきます。万事に気がまわる敏感なロッテでなければ、父とゲルラハ嬢の一件には気がつかなかったわけですし、細かいことでうだうだ悩まぬ天真爛漫なルイーゼでなければ、母とウィーンに行くという咄嗟の判断はできなかった。

ロッテは単独では魔女を撃退できませんでした。しかし、ルイーゼの機転が不利だった戦況を変えた。彼女が母とウィーンに戻ったおかげで、魔女の立場は危うくなります。突然現れた元妻と、もうひとりの娘。〈あなたの別れた人の念入りなたくらみだわ!〉と毒づくゲルラハ嬢に、娘たちの無謀さと片方の娘の病に心を痛めていたパルフィー氏はムッとします。〈妻も、きのうになって、やっとわかったのだ〉

大人の、まして色恋がからんだ事案は子どもには変えられません。それは厳然たる事実です。しかし、娘たちの果敢な行動は父母の気持ちを動かしたのでした。

ただ、ロッテとルイーゼは、ゲルラハ嬢の一件については母に黙っていました。それをいま母が知ったら、父と母の仲はこじれるとわかっていたからです。

よりを戻した父と母

そして物語は大団円へ向かいます。

ロッテの病が癒えるまで、姉妹と両親はウィーンでいっしょにすごしますが、一〇月一四日の誕生日に、姉妹はプレゼントを要求します。

〈ロッテとあたしは、お誕生日におとうさんとおかあさんに、これからみんな、いつもいっしょにいられるようにしていただくことを、お願いするの!〉とルイーゼ。〈そしたら、一生のあいだ、何も贈り物をくださらなくていいわ!〉とロッテ。

はたしてこの無体な要求に両親は応えたのか。

まさかの大逆転、娘たちの要求を受け入れ、二人はよりを戻したのでした。

父と母は結婚式をあげ、母とロッテはウィーンに居を移し、ロッテはルイーゼと同じ学校に転入することになります。先の冒険物語のパターンに沿っていえば、二人は十分な報酬を手にし(⑥)、もとの日常、それも欠けていた「もう半分の世界」を含めた「ありうべき日常」を取り戻した(⑦)ことになりましょう。

しかし現実的に考えると、この結末にはいささか無理があります。

父と母が離婚したのは、価値観の相違と生活のすれちがいが原因です。作曲に没頭したい夫は、子どもがうるさく泣いている家庭から逃亡した。そんな夫に妻はがまんできなかった。六年半後にその価値観が変わるとは思えません。まして母は離婚後、娘に家事を任せきりにするほど、仕事に熱中してきたのです。その仕事を辞めて、ウィーンに引っ越すなんてできるのか。復縁しても彼女はまた不満を募らせるだろうし、元妻の登場でふられた夫の元カノ・ゲルラハ嬢も悶着のタネになりそうです。

夫が当初、妻に提案したように〈(ぼくは)君がふたりの子どもを、ミュンヘンにつれてゆくことに同意するよ〉〈君は、子どもたちが、年に四週間ぼくをたずねることを許してくれるね?〉。家族はやっかい払いできるし、年に一度は娘たちとすごせるし、いささか虫のいい提案ですが、それが賢明かつ現実的な選択でしょう。

でもそれは、あくまで大人の論理です。ふたごにとっての結末は、両親がもう一度いっしょに暮らすこと以外にあり得ない。それが子どもの正義だし、冒険小説では試練の対価として主人公が正当な報酬を得なければならないからです。母はそのことを知っていた。妥協的な結論では娘たちは納得しない。だから彼女はいうのです。〈父と母を、子どもたちはほしがっているんですわ! それはつつましくない願いでしょうか〉

いつの時代の物語かわからない

『ふたりのロッテ』にはひとつ、大きな謎があります。物語の舞台がいつの時代、西暦何年ごろなのかが、明記されていないのです。

作品が発表されたのは一九四九年。仮に物語の中の時間が一九四〇年代だとしたら、姉妹が生まれ、両親が別れ、別々に育った過程のどこかで、戦争があったはずです。

ご承知のように一九三三年から四五年まで、ドイツはナチの独裁政権下にありました。三八年にはオーストリアが併合され、三九年にはドイツがポーランドに侵攻して戦争がはじまります。大戦中、ミュンヘンは何度も連合国軍の空襲を受けていますし、戦争末期にはウィーンもソ連軍の攻撃による市街戦に巻きこまれました。

ところが物語には、戦争の影がまったくありません。

ではケストナーの他の作品同様、舞台が戦争前の一九三〇年代だったらどうか。それなら、このような物語も可能だったかもしれません。ですが、すぐその後にナチの時代がくるので、待っているのは戦争。真のハッピーエンドとはいえません。

イチャモンともいえる右のような疑問を呈したのは、ルート・クリューバーという六〇年代の女性批評家でした（スヴェン・ハヌシェク『エーリヒ・ケストナー』）。

たしかにこれは的を射た指摘です。なるほど計算は合わない。

ただ『ふたりのロッテ』が戦争を描いていないとはいえないでしょう。独裁的な親への復讐を誓い、敵地に乗りこみ、力尽きるまで戦った。ロッテとルイーゼの数か月はむしろ戦争そのものです。

分断された祖国のアナロジー？

さらに参照すべきは、ドイツの戦後史です。

一九四五年の敗戦後、ドイツは米・英・ソ・仏の四か国の共同管理下に置かれますが、四八年、ソ連がベルリンの封鎖に踏み切ったことで米ソが対立。ドイツの東西分断は避けられない状況となりました。『ふたりのロッテ』が出版された四九年には、西ドイツ（ドイツ連邦共和国）と東ドイツ（ドイツ民主共和国）が成立して、以後四〇年にわたる分断の時代がはじまります。ちなみに東西ドイツの分断によって、ケストナーはドレスデンに住む両親と離れ離れになることを余儀なくされています。

以上のような背景を考えると、『ふたりのロッテ』は別の意味を帯びてきます。ふたごの姉妹が親の都合で引き裂かれ、別々の町で育ったこと。二人が再会し、家族の再統合をめざして立ち上がること。まるで分断された祖国のよう！

戦争の被害者は誰なのか。その恐怖はロッテの夢の形で描かれています。

夢の中でロッテとルイーゼはひとつのベッドの上にいます。ベッドは乗り物のように移動し、二人は幾多の恐怖を味わいますが、やがて母が、続いて父が登場します。〈わたしが子どもらを半分に分ける！　のこぎりで！　わたしはロッテの半分とルイーゼの半分をもらう。あなたもそうしなさい、ケルナーさん！〉。母は拒絶しますが、父はのこぎりでベッドを縦半分に切断してしまった。どちらかを取れと命じる父。分けちゃだめだと叫ぶ姉妹を父は一喝します。〈だまれ！〉〈両親はなにをしたっていいんだ！〉

子どもにとって親は独裁的な権力者。のこぎりは武器。子どもの人権はズタズタです。

離婚を描く児童文学

児童文学が離婚を描くようになったのはおおむね一九六〇年代からでした。早い例としては、旧ソ連の児童文学、ワジム・フロロフ『愛について』（一九六六年）が知られています。一四歳の少年を主人公にしたこの作品は、女優である母が同じ劇団員の若い男とデキて家を出て行くという、なかなかハードな物語でした。

日本では松谷みよこ『モモちゃんとアカネちゃん』（一九七四年）が最初の例とされています。もっとも『モモちゃん』の離婚はかなり抽象化された書き方ですので、離婚を明示的に描いた作品をとなると、今江祥智『優しさごっこ』（一九七七年）があげられます。これは母との離婚後、父と娘がぎこちない暮らしをはじめる父子家庭の物語でした。

こうした物語の出現は、七〇年代以降、離婚が特別な事件ではなくなったことを意味します。主人公は傷つき、抵抗しながらも、やがて現実を受け入れる。

それにくらべると、両親の復縁で終わる『ふたりのロッテ』は結婚への幻想が残っていた時代の産物とはいえましょう。しかし、性別役割分業を前提とした近代家族のゆらぎがここには含まれています。母のルイーゼロッテはワンオペ育児に耐えられず、夫に絶縁状を叩きつけたのです。再び良妻賢母に戻ることはあり得ないでしょう。

どんなに緻密な計画を立てても、勇敢に戦っても、最後は大人が決断しないと問題は解決しない。それが子どもの現実です。両親の離婚だけでなく、父親の恋愛という、子どもには許容しがたい現実を描いたことも、この作品の新しさでした。

親という権力を降伏させた物語

余談ですが、姉妹の母、ルイーゼロッテ・ケルナーのモデルはケストナーの生涯のパートナーで、事実婚の関係にあったルイーゼロッテ・エンダーレといわれています。彼女は新聞の編集者だったそうですから、まさに、です。一方、芸術家の身勝手さをあますところなく発揮するパルフィー氏にはケストナー自身の像が自虐的に投影されているように思います。パルフィー氏とゲルラハ嬢の恋愛は離婚後のことでしたが、ケストナーには若い愛人が何人もいて、エンダーレの苦悩は深かった。

ともあれ、ロッテとルイーゼは〈せめて、ためしてみてください！〉と懇願することで、両親の仲をとりもつという困難な課題をクリアした。彼女たちは何のために戦ったのか。

もちろん自分たちのためです。しかしそこには「子どもは自分のルーツを知る権利がある」「きょうだいを引き離す権利は親にもない」という意味が含まれていないでしょうか。二人が主張したのはつまり「子どもの人権」なのです。

自ら動き、声をあげれば事態は変わる。親の暴挙を許しちゃいけない。姉妹の行動は、読者に困難な現実に立ち向かう勇気を与えます。ロッテとルイーゼの冒険は家庭の平和を取り戻すためでした。が、その力を家庭の外に向けることもできる。四〇年後、ベルリンの壁を壊した若者たちにもケストナーの読者がいたかもしれません。

パルフィー氏が表向き幸せなふりをして、妻と娘たちの要求に従ったのは、追い詰められた結果でしょう。彼は考えたはずです。ここで拒否したら、自分は再び三人を絶望させ、娘たちに一生恨まれて、孤独な人生を歩むことになるかもしれない……。人権を剝奪された娘たちが団結して、権力者である父親を降伏させた。『ふたりのロッテ』のポイントはそこにあります。ふたごは権力に勝ったのです。

家族に新しい問題が生じたらどうするのか。元カノとの関係は大丈夫なのかって？　そんなのは、そのときにまた考えりゃいいのです。二人は一〇歳になったばかりです。どうせこの先、無数の冒険が待っているにちがいないのですから。

9

常識を逸脱すること

リンドグレーン『長くつ下のピッピ』

Pippi Långstrump

1945

アストリッド・リンドグレーン（一九〇七〜二〇〇二）

スウェーデンのスモーランド地方に生まれる。一六歳から新聞社で働きはじめるが、上司との不倫で未婚の母となる。二四歳で結婚。養家に預けられていた息子を引き取り、後に娘が生まれる。第二次世界大戦中、手紙検閲局で働きながら創作をはじめ、戦後、児童文学の懸賞に当選した『長くつ下のピッピ』で本格的に作家デビュー。旺盛な作家活動を続けるほか、児童書の編集者を務め、子どもや動物の権利のためにも尽力した。

★『長くつ下のピッピ』大塚勇三訳、岩波少年文庫、一九九〇年

じつは少女小説のパロディだった⁉

『長くつ下のピッピ』はスウェーデンの作家、アストリッド・リンドグレーンの人気作品です。誕生したのは一九四五年、第二次世界大戦が終結した年でした。大塚勇三による日本語の初訳は一九六四年。世界一〇〇か国で翻訳されている大ロングセラーです。

ですが「えっ、ピッピも少女小説なの？」と思う方もいるでしょうね。

あくまでリアリズム重視の他の作品にくらべると、『ピッピ』はあまりに荒唐無稽なお話ですし、主人公もふつうはあり得ないキャラクターの持ち主です。どちらかというとファンタジー、おとぎ話のイメージに近いかもしれません。

なので『ピッピ』のファンは小学校低学年くらいまでの小さなお子さまか、ないしは人生経験を積んだ大人の女性が多いように思われます。逆に少女小説を読む適正年齢、小学校高学年くらいのお嬢さま方はピッピに感情移入しにくい。

理由は単純。ピッピは共同体の常識をあまりにも逸脱した子だからです。小さな子どもはともかく、社会のルールを知りはじめた年代（一〇代前半？）の女子は、少なくとも自分がピッピのようになりたいとは考えないでしょう。自分が浮いた存在になりたいとも、共同体から疎外されたいとも思わないからです。

しかし半面、ピッピは少女小説のヒロイン像をあきらかに踏襲しています。彼女はおてんばな少女ですし、機関銃のようによくしゃべるし、両親のいない「みなしご」です。『長くつ下のピッピ』はリンドグレーンが娘のカーリンに語って聞かせた物語をもとにしたといわれていますが、この表題（ピッピ・ラングストルンプ。英語ではピッピ・ロングストッキング）は、『あしながおじさん（ダディ・ロングレッグス）』を連想させます。ちなみにナガクツシタ（ラングストルンプ）はピッピの名字です。

先に答えを明かしてしまうと、『長くつ下のピッピ』は「少女小説のパロディ」なのです。さて、どういう意味でしょう。

船から下りてひとりで暮らす女の子

〈スウェーデンの、小さい、小さい町の町はずれに、草ぼうぼうの古い庭がありました。その庭には、一けんの古い家があって、この家に、ピッピ・ナガクツシタという女の子がすんでいました。この子は年は九つで、たったひとりでくらしていました〉

これが書きだし。さらに衝撃の一文が続きます。〈ピッピには、おかあさんも、おとうさんもありませんでしたが、ほんとのところ、それもぐあいのいいことでした〉

ちょっと待って、どういうこと？　語り手は説明します。

〈というのは、ほらね、ピッピがあそんでるさいちゅうに、「もう寝るんですよ。」なんていう人は、だれもいないのです。それから、「おかしがたべたいな。」とおもってるときに、「肝油をのみなさい。」という人もいないのです〉

両親そろった子より、孤児のほうが得であると語り手はいうのです。

母はピッピが赤ん坊のときに死に、船長だったピッピの父は嵐の海で遭難した。しかし、ピッピは父が溺れ死んだとは思っていません。〈きっとおとうさんは、黒人がわんさといる、どこかの島にながれついて、黒人たちの王さまに〉なったと信じている。だから彼女はいいます。〈わたしのおかあさんは天使で、おとうさんは、黒人の王さまよ。こんなすてきな親をもった子なんて、そんなにいやしないわ！〉〈おとうさんは、船さえつくってしまったら、すぐわたしをむかえにくるの。そしたら、わたしは、黒人島のお姫さまになる。わーい！　なんてすてきなことだろう！〉

「黒人島の王さま」という設定は植民地主義的で、いまとなってはいささか問題がありますし、右の台詞を額面通りに取っていいかどうかは一考の余地がありますが、ともあれ父を見失った後、ピッピは船を下り、父が娘と暮らすつもりで買った家（ごたごた荘）に、サルのニルソン氏を連れて、ひとりでやってきたのでした。その日のうちに彼女は金貨を一枚使って一頭の馬を買います。サルはたいした役には立ちませんが、アシスタントを兼ねたペット、馬は足がわりのマイカーみたいなものでしょう。

『赤毛のアン』の極端なやつ

ピッピは風貌も独特です。〈髪の毛の色はニンジンそっくり。その赤い毛をふたつにわけて、きつく編みあげ、その二本のおさげがぴーんとつきだしています。鼻は、ちっちゃなジャガイモみたいで、そばかすがいっぱい。その鼻の下には、ほんとに大きな口があって、じょうぶな、まっ白の歯がのぞいています〉

どうしたって『赤毛のアン』を連想させます。が、その後がちがいます。

〈着ものが、またかわっていました。それは、ピッピのお手製でした。だいたいピッピは、青い服をつくるつもりでしたが、青いきれ地がたりませんでした。そこで、小さな赤いきれを、どこにもここにも、いっぱいぬいつけたのでした〉

さらに足もとに目をやると〈すらっとした、長い両足には、長靴下をはいていましたが、かたっぽの靴下は茶色で、もうかたっぽは黒でした。それから、足には、黒い靴をはいていましたが、その靴の大きいことといったら、足のちょうど倍もありました〉。

ひと言でいってしまうと『ピッピ』は『赤毛のアン』の極端なやつ、なのです。アンも規格外の少女ではありましたが、ピッピは存在自体が非常識。

少女小説の主人公たちの多くは、ファッションに多大な関心を持っていました。ピッピにだって、ファッションへのこだわりがある。ことに父が南アメリカで買ってくれたという大きな靴は、アンのふくらんだ袖にも匹敵するピッピのアイデンティティの象徴といえます。なぜ大きな靴をはいているのかという質問に彼女は答えます。

〈それはね、これなら足の指がよくうごかせるもの！〉

ここで思い出すべきはシンデレラのガラスの靴です。ガラスの靴に入る小さな足の持ち主だったことでシンデレラはプリンセスの座を射とめますが、ガラスの靴なんてものは女の自由を縛るワナにほかならない。ピッピは逆です。大きな靴は自由の象徴なのです。

ピッピに与えられた腕力と財力

少女小説の主人公たちもそれぞれに自由を求め、自立を模索してはいました。でも、そこにはおのずと限界があった。『小公女』のセーラは父の友人に引き取られ、『若草物語』のジョーは男に生まれなかったことを悔しがり、ハイジは大人の言うことをききすぎて病気になります。アンは大学への進学を断念して村にとどまり、『あしながおじさん』のジュディは作家になるのをやめて篤志家の求婚を受け入れました。

しかし、ピッピは完全に自由で、完全に独立しています。九歳の少女が自由を確保するために、作者は二つの武器を与えました。力と金です。

「世界一つよい女の子」というキャッチフレーズ通り、ピッピは馬一頭を持ち上げるほどの怪力の持ち主で、また軽業師もかくやの身体能力を備えています。経済力も半端ではありません。船を下りるとき、彼女は金貨の詰まったスーツケースを持ち出したのでした。腕力と財力！　女性が望んでもなかなか手に入らない強力な武器です。

『赤毛のアン』は地域社会で生きていくために、アンが戦う「就活小説」だと申しました。ピッピも同じです。同じですが、ハードルはもっと高い。荒唐無稽な行動で大人社会を翻弄しているように見える『長くつ下のピッピ』は、じつは彼女が与えられた武器をフルに使って、自らの手で自由と独立を獲得する物語なのです。

ピッピ、子ども社会のボスに勝つ

彼女が最初にやったのは、子ども社会のボスを封じ込めることでした。

引っ越してすぐ、ピッピは隣家に住むトミーとアンニカ兄妹と仲よくなりますが、その直後に遭遇したのは、いじめっ子の男の子たちでした。五人がかりで小さな子をいじめている少年たち。そのボスとおぼしき少年にピッピは、ねえ、あんたたち、と意見します。少年たちはピッピにターゲットを変えます。〈おい、こんな髪の毛、みたことあるか！　まるで、火みたいだぜ！　それによ、この靴はどうだい！〉

これがアンなら激怒して飛びかかったでしょう。ピッピはにこにこしながら〈どうも、あんたは、レディーに対するお作法をよくしらないみたいね〉といい、五人をひとりずつ両腕で抱えて、高い木の枝に次々ひっかけてしまいます。で、〈あんた、わたしの髪の毛とか、靴とかのことで、なんかいいたいことがあったら、いま、いったらいいわよ〉と挑発します。悪ガキどもは言い返せません。ピッピの完全勝利でした。

ピッピ、ひとりで暮らす権利を勝ちとる

次に彼女を襲ったのは、自由気ままな暮らしを阻止する外部からの圧力です。

その日、やってきたのは二人のおまわりさんでした。子どもがひとりで住んでいるという話は町じゅうに知れわたり、それはいけない、その子は孤児院に入れて、学校にも行かせるべきだと大人たちは考えた。町の大人の総意を背負って、警官はごたごた荘に来たのです。押し問答の末に、警官はすごみます。〈きみは、わたしたちといっしょに、『子どもの家』にいかなきゃいけない。いま、すぐにだよ〉

ピッピはベランダの手すりにすばやく飛び乗り、二階の屋根から煙突の上まで上ってしまいました。〈鬼ごっこって、ほんとにゆかいね！〉

〈さあ、このがきめ、おもいしらせるぞ！〉と叫ぶ警官とさらに追いかけっこをした後、ピッピは二人のベルトをつかんで敷地の外に運び出します。〈これ以上、あそんでるひま

はないのよ。たしかにおもしろいけど、もう、おしまい〉

警官はギブアップし、町の人々に報告せざるを得ませんでした。〈あのピッピという子は、ぜんぜん、『子どもの家』には、むきません〉

ピッピ、学校に行かない自由を確保する

トミーとアンニカに促され、一度は学校にも行ってみました。

〈よく学校にきたわね、ピッピちゃん〉。親切な先生は彼女を歓迎します。ですが、あとの会話は一から十まで嚙み合いません。

〈七と五をたすといくつですか〉と問えば〈あんたがしらないことを、わたしにかわりにやらそうなんて、おもわないでちょうだいね〉。〈七に五をたすと、十二ですよ〉と教えれば〈ほらね！〉〈よくしってるくせに、なんで、あんた、きいたの？〉

絵を描かせれば、寝そべって床いっぱいに馬の絵を描きはじめ、〈あんなちっぽけな紙っきれじゃ、とてもたりやしないのよ〉。では歌を歌いましょうといえば〈いいから、うたってちょうだい。わたしはちょっと休んでるわ〉。

我慢の限界に達した先生を解放してやったのはピッピのほうでした。〈みんながなにしてるのかみて、すごくおもしろかったわ。でも、わたし、もう学校にこようって気はしないの〉。三たび、ピッピは勝利したのです。

ピッピ、町のヒーローになる

孤児院には入らない。学校にも行かない。自力で獲得した自由を、ではいかにして持続させるか。最後の仕上げは、地域社会全体を味方につけることです。

彼女の身体能力の高さが評判になるのは、物語も終盤、トミーとアンニカに誘われて彼女がサーカスを見に行ったときでした。〈じぶんひとりでおもしろがるもんじゃないわ。あんた以外の人だって、ちゃんとお金をはらってるんだから〉。ピッピは自ら舞台に上がり、本職のサーカス団員も真っ青の曲芸を見せつけ、力自慢の大男を投げ飛ばして、喝采を浴びます。こうして人々に認知され、新聞にまで載ったピッピ。

この後、彼女はまたもや驚異的な身体能力を発揮して、火事になった家の屋根裏部屋に取り残された子どもを助け出します。固唾《かたず》をのんで見守っていた町の人々。消防隊長が叫びます。〈ピッピ・ナガクツシタのために、ばんざいを四回！〉

ここまでやれば彼女の自由を束縛しようとする人はもういないでしょう。逆にいうと、ここまでやらなければ、彼女の自由と独立は確保できなかった。たかだかひとり暮らしをするために、外部からの妨害といちいち戦わなくちゃいけないんですからね、女がひとりで生きる自由を手に入れるのは、ほんと、大変なんですよ。

『ピッピ』をリアリズム小説として読むと

ピッピが有しているのは、力と金だけではありません。彼女は父の船で航海を経験していますから、世界中の風物を知っているし、料理だって裁縫だってお手のもの。読み書きも算数も得意ではありませんが、べつに不自由はしていない。大人の手を借りずとも、彼女はひとりで十分暮らしていける生活力の持ち主なのです。

実際、町の大人たちよりピッピは一枚も二枚も上手です。何があっても余裕でかわし、トンチンカンな受け答えで相手を論破し、相手がキレてつかみかかろうとするタイミングでするりとかわして逃げ回り、それでもダメなら切り札の怪力をもって相手を排除する。彼女は暴力は使いません。ここは一発お見舞いすべきだろうと思われる場面でも、蹴りも殴りもせず、相手を両手で持ち上げ、外に出すだけ。

まるでヒーロー。子どもたちがピッピに熱狂するのは当然です。

しかし、それは『長くつ下のピッピ』を荒唐無稽なファンタジーとして見た場合です。このお話をあえてリアリズム小説として読むと、いささか話はちがってくる。大人のリアリズムで考えれば、ピッピは常識を超えた問題児以外の何者でもありません。

常軌を逸した虚言癖

第一に疑われるのは虚言癖です。彼女はめったに本心を明かしません。あらゆる質問をはぐらかし、ホントともウソともつかぬことばかりいっている。

これこれの国ではこうだ、というのが彼女の得意なホラ話です。〈ブラジルじゃ、だれもかれも、髪に卵をかけて、あるきまわってるのよ〉。〈アルゼンチンでは、勉強は、ぜったいに禁止されてるの〉。はじめてトミーとアンニカと会ったとき、ピッピはうしろむきに歩いていました。〈エジプトじゃ、だれもかれも、こうやってあるいてて、このあるきかたがおかしいなんて、だれもかんがえやしないのよ〉

トミーとアンニカは、ウソはいけないと意見します。意外にも、ピッピは〈そうよ、そのとおりよ〉と認めます。〈うそつくのは、とてもいけないわ〉

〈でも、ごらんのとおり、わたし、それをときどきわすれちゃうの。だってね、おかあさんは天使で、おとうさんは黒人の王さまで、それで、じぶんは、ずっと航海していた子だったら、どうかしら？　そんな子に、いつも、ほんとのことばかりいえといったって、むりじゃない？〉

これはめったに本心を明かさないピッピが、珍しく吐露した本音でしょう。長く父や水夫たちと航海をしてきた彼女にとって、ホラ話は単調な日常に変化をつけるお楽しみだったはずです。しかし九歳の少女がホラ話をすることを、世間は認めないし笑わない。「平気でウソをつく子ども」に認定されておしまいです。

突飛なファッション、行儀の悪さ

第二に、ピッピの行動は、現代ならばＡＤＨＤ（注意欠陥・多動性障害）を疑われかねません。片時もじっとしていられず、際限なくしゃべり続け、予想のできない行動でしょっちゅうトラブルを起こす。それは通常「行儀の悪さ」と認識されます。

少女小説の主人公は、みんなおしゃれをしてお茶会やパーティーに嬉々として出席し、そしてしばしば失敗をやらかしました。ピッピも同じです。おしゃれをしてパーティーに出かけ、失敗をやらかします。ただし、そのレベルがちがう。

トミーとアンニカの家の「コーヒーの会」に招かれたピッピは、最大限のおしゃれをして出かけます、〈きょうはとくべつなおよばれなので、ピッピは髪を編まないでおきました。ですから、赤い髪の毛が、ライオンのたてがみみたいに、顔のまわりにたれさがっていました。口は、赤いクレヨンで、まっかにぬってあるし、まゆげもまっ黒くぬってあるので、どうもかみつきそうな顔にみえました。爪も、赤いクレヨンで、ぬりたててありましたし、靴には、大きい緑色のリボンがつけてありました〉

突飛なのはファッションだけではありません。お行儀もまたしかり。コーヒーに砂糖とクリームを山ほど入れ、菓子を皿に取れるだけ取り、椅子に戻ると、足先に皿をのせて、頬張れるだけ頬張ります。大きなケーキに顔ごと嚙みつき、砂糖をばらまいた床の上を裸足で歩きまわります。

発表当時、スウェーデンでは、ピッピの反抗的な態度と行儀の悪さは教育上よろしくないという議論が起きたそうです。それも無理からぬ話です。ピッピは共同体の秩序を壊しかねない破壊力を持っているからです。子どもたちはお話の登場人物としてのピッピには喝采をおくるでしょう。しかしはたしてこういう「とっぱずれた子」が現実にいたら、彼ら彼女らは自分たちの仲間として認めるでしょうか。

友達をもてなすための饗応・贈答・余興

『長くつ下のピッピ』は少女小説のパロディだと申しました。パロディとは反復と差異を含んだ物語の形式です。ピッピは少女小説を一面では反復しつつ、一面では極限まで異化してみせます。ピッピの自己認識はどうだったのでしょう。

ピッピはおそらく、自分が共同体と相容れないことを知っています。知りつつ、みんなと仲良くしたいと願っている。隣家に住むトミーとアンニカとの関係を見れば、彼女が仲間をどれほど大事に思っているかがわかります。

トミーとアンニカにはじめて会った日、ピッピは二人を朝ごはんに誘ってパンケーキを焼きます。フライパンで受け損なった卵で髪を卵だらけにするという演出までやってみせるのですから、サービスも「そこまでやらんでよろし」なレベルです。またその日、彼女は、友達になった記念だと、トミーには真珠貝の柄《え》のついたナイフを、アンニカには貝殻をちりばめた小さな箱と緑色の宝石のついた指輪をプレゼントします。

翌日、二人がごたごた荘を訪ねると、ピッピは台所の床を粉だらけにしてクッキーの生地をつくっていました。そして「もの発見家」になって庭を探索しようと提案。さんざん歩きまわって自分はガラクタを見つけたあげく、トミーには〈どうしてあの古い木の中をのぞいてみないの?〉と、アンニカには〈どうして、あの古い切株のなかをのぞいてみないの?〉と尋ねます。はたして木の中にあったのは革表紙のついたノート、切株の中にあったのは赤い珊瑚のネックレスでした。

ある日、三人はピクニックに出かけます。ピッピが用意したお弁当はたいそう豪華なものでした。しかもピッピは空を飛ぶと称して崖から飛び降りたり、牝牛とひと暴れしたり、二人があ然とするほどの一大パフォーマンスをくり広げます。

手作りの料理(饗応)、高価なプレゼント(贈答)、曲芸に近いパフォーマンス(余興)。

二人を喜ばせ、おもしろがらせるために、ピッピはいつも動いている。ただ、他の少女小説とはちがって、ピッピはすべてが破壊的、すべてが全力投球なのです。

過剰なサービスの裏にある孤独

トミーとアンニカ兄妹は、中流家庭の平凡な子どもにすぎません。

この子たちは与えられるばかりで、与える側に回ろうとはしません。次は自分たちがピッピをもてなそうとも、何かステキなお返しをしようとも考えない。ピッピの大暴れをおもしろがりはしても、自ら渦中に飛びこんでピッピに加勢しようとはしないし、ピッピのように強くなろうとも思わない。この非対称ぶりは何なのか。

思うにトミーとアンニカは「世間」の代表なんですね。二人の唯一の美点は、ピッピをけっして排除せず、彼女のすべてを受け入れていることでしょう。

ピッピにはでも、それで十分だった。長い間、大人の男にまじって航海をしていた彼女にとって、二人は自分を受け入れてくれたはじめての同世代の友達でした。子ども同士のつきあいを経験していない彼女にしたら、大人社会の習慣である饗応と贈答と余興は、彼女が知りうる最大限の好意の示し方だったかもしれません。

そこに私はピッピの孤独を見ます。じつのところ、荒唐無稽な表層に反して『長くつ下のピッピ』ほど、主人公の孤独を感じさせる物語もないのです。

お母さんは天使で、お父さんは南の島の王さま。〈こんなすてきな親をもった子なんて、そんなにいやしないわ!〉というピッピの言葉は本心なのか。むしろ両親を亡くした子どもの強がり、精いっぱいの虚勢と考えるのが自然でしょう。セーラ・クルーやアン・シャーリーの、現実逃避に近い想像癖ともそれは響き合っています。

お得意のホラ話も、ピッピが「どこどこの国ではこうだ」と話すのは、たいがい自分の変わった行動や行儀の悪さを指摘された場面においてです。それはとっさに出たエクスキューズ、あるいは気恥ずかしさをゴマ化すための方便ではなかったか。

物騒すぎるラストシーン

彼女の孤独が特にきわだつのは、ラストシーンです。

最終章はピッピが自分の誕生日にトミーとアンニカを招待するお話です。兄妹はお小遣いを出し合ってオルゴールをプレゼントし、ピッピは狂喜乱舞しますが、やっぱり〈そうだわ、あんたたちも、誕生日のプレゼントをもらわなくちゃいけないわ!〉といわずにはおられない(で、トミーは象牙細工の小さな笛を、アンニカは赤や青や緑の石の入った蝶の形のブローチをもらいます)。しかしその後、ピッピは屋根裏部屋で幽霊を探そうといいだした。はたして屋根裏の古い箱に入っていたのは、一本の望遠鏡、古い本、金貨のつまった袋、そして三丁のピストルと一本の剣でした。

〈子どもには銃をもたすべからず〉〈さもなければ、ただちに災難がおこるべし〉

そういいながら、ピッピは二丁同時にピストルを発射して、二人に尋ねます。〈ところで、あんたたち、ピストルがほしい？〉〈トミーは、うれしくてむちゅうになりました。アンニカも、／「弾丸《たま》をこめてないのなら、わたしもほしいわ。」といいました。／「さあ、これで盗賊団をつくろうとおもえばつくれるわ。」〉

児童文学らしからぬ、物騒な展開！　その直後、父が迎えにきてトミーとアンニカは帰ってゆきますが、その背中に向かってピッピは叫ぶのです。

〈わたし、大きくなったら、海賊になるわ！〉〈あんたたちも、海賊になる？〉

ここで物語は唐突に終わります。謎めいた幕切れです。

あんたたちも戦え！

なぜピストルなのか。どうしてわざわざ「海賊になる」と宣言するのか。ここにはピッピの孤独と、すべてを傍観している「世間」へのかすかな敵意がにじんでいる。

夜になれば父や母のいる家に帰るトミーとアンニカ。しかし、ピッピはいつもひとり。

完全な自由と独立を手にした少女の孤独はそのぶん深い。孤独が深いからこそ、存在をアピールしたくて突飛な行動に出てしまうのだともいえます。

と同時にピッピはここで「あんたたちも戦え！」と鼓舞しているようにも見えます。トミーよ、アンニカよ、銃をとれ！　あんたたちも海賊になれ、と。

リンドグレーンが『長くつ下のピッピ』の草稿を書いていたのは第二次世界大戦中でした。ナポレオン戦争の終結後、スウェーデンは中立主義を貫き、大戦中も中立を保ちました。が、実際には、隣国のノルウェーがドイツに陥落し、フィンランドがロシアとの戦いに苦しむなど、何度も譲歩を強いられます。大戦中、手紙検閲局で働いていたリンドグレーンは、一国の独立がいかに危ういものであるかをよく知っていました。世界を戦争に追い込んだのが大衆であるということも、彼女は日記に書いています。

自身の独立と町の平和のためにひとりで戦ってきたピッピには、ともに戦おうとしない仲良しの友達がほんとは歯がゆかったのではないか。

ピッピが発する二つのメッセージ

ここでいったん『長くつ下のピッピ』は終わります。

ですが、物語にはまだ続きがあります。続編の『ピッピ船にのる』（一九四六年）では、ついに父のエフライム・ナガクツシタ船長がごたごた荘に現れます。

〈わしは、クレクレドットという島の、クレドット黒人たちの王さまだ。おぼえてるだろ。わしは、海の中にふきとばされたが、あのあと、その島にながれついたのさ〉

ピッピのホラ話が現実に変わる、まさかの大逆転！　こんな形で父が登場するのは少女小説としてはオキテ破りですが、父とともに島に移住するつもりだったピッピは最終的にはごたごた荘で暮らすことを選び、続々編の『ピッピ南の島へ』（一九四八年）では、三人そろって島に遊びに行くというオマケまで用意されます。けれどもこれは番外編。孤独に耐えてきたピッピへの「ご褒美」と見るべきでしょう。

『長くつ下のピッピ』は二つのメッセージを発しているように思います。

ひとつは、女子のジェンダーロールに縛られた少女に対する、君も好きに生きていいんだよ、自分の権利を主張していいんだよ、という励まし。家庭小説というジャンルに押し込められながら、家庭小説の枠から逸脱することで生き残った少女小説の、多くはこのようなメッセージを発していた。『ピッピ』はやはり少女小説の末裔なのです。

ですが、はたしてそれだけか。

もうひとつ、『ピッピ』が発しているのは、目の前にどんなに規格外の子が現れても排除しないで受け入れてやりなさい、というメッセージです。そうです、一切の偏見から自由なトミーとアンニカのように、です。今日、重要なのはむしろこちらのメッセージではないでしょうか。異質な者を排除しようとする共同体に忽然と現れた突飛な子。

ピッピはとことん読者を挑発します。あたしみたいな子でも、あんたは友達になってくれる？　いっておくけど、あたしにあんたの常識は通じないわよ、と。

少年少女の時間の終わり

三部作の完結編『ピッピ南の島へ』は意味深なシーンで終わります。

南の島から帰ってきた三人は「おとなになんかなりたくない」という意見で一致します。そして「おとなになりたくない人に、すてきにきく丸薬」を飲むのです。それはえんどう豆にそっくりでしたが、ピッピはリオでインディアンの酋長からもらった「生命の丸薬」だと主張します。さあ、もうこれで、おとなになる心配はない！

しかしその夜、家に帰ったトミーとアンニカは、子ども部屋の窓ごしに、ごたごた荘でじっとろうそくに見入る、ピッピの意外な姿を目にします。

〈「もしピッピがこっちをむいたら、ぼくたち、手をふろうよ。」と、トミーがいいました。でも、ピッピは、夢みるような目つきで、じっとまえをみつめているばかりでした。／それから、ピッピは、ふっと、火をけしました〉

ろうそくの火を吹き消すことで訪れる暗闇。少年少女時代の終わりを告げるような鮮やかな幕切れです。この場面はピッピがまもなくごたごた荘から消えることを示唆しているとも考えられます。次の朝、トミーとアンニカがごたごた荘を訪れたら、サルのニルソン氏と馬ともども、ピッピも姿を消していた……。そうなってもおかしくない。

海洋民族の末裔としてのピッピ

少女小説の主人公は少女を卒業し、社会に順応した常識的な大人の女になることを強いられます。平凡な子どもであるトミーとアンニカにも「生命の丸薬」の効きめはたぶんあらわれず、いずれは成長してつまらない大人になるでしょう。その日が近いことをピッピは予見しています。予見しつつ成長することを拒否するのです。

少女小説のふりをした『長くつ下のピッピ』と、少女のふりをしたピッピ・ナガクツシタは、こうして一面では過去の少女小説に敬意を払いつつ、別の一面では極端にデフォルメされた少女によって少女小説の世界を相対化してみせます。

一九世紀後半から二〇世紀前半まで、家庭小説として発表された少女小説は、少女小説を異化する『長くつ下のピッピ』で上がりを迎えたといってもいいでしょう（戦後に書かれた『ふたりのロッテ』は、事実、少女の成長譚とは少し趣を異にします）。

余談ですが、スウェーデンの児童文学で、『長くつ下のピッピ』の次くらいに有名なのはルーネル・ヨンソン『小さなバイキング ビッケ』（一九六三年）でしょう。ピッピが世界一強い女の子なら、ビッケは世界一弱い海賊の少年です。

ビッケはバイキングの族長の息子ですが、臆病者で、何を見てもどこへ行ってもびびりまくり。年中歯をガタガタさせています。しかしすこぶる頭だけはよく、父の船で航海に出た先で、一切暴力に頼ることなく次々に難題を解決していきます。

ピッピがいう「海賊」が何を指すかは不明ですが、北欧で海賊といったら、やはり八～一一世紀のバイキングでしょう。ジェンダー平等がもっとも進んだ国で生まれたピッピとビッケは、半世紀以上も前にジェンダーの壁を軽々と乗り越えていた。

船乗りの父を持ち、自らも船の上で育ったピッピは、いわば海洋民族の末裔です。「あんたたちも、海賊になる？」とは「あんたたちも広い世界に出たほうがいいわよ」という誘いにほかなりません。ダテに彼女はでかい靴を履いているわけではないのです。

おわりに――挑発する少女小説

二〇二〇年代にもなって一九世紀の少女小説などを読む価値があるのか、と思わなかったわけでもありません。こんなの単なるノスタルジーじゃないのか、と。

しかし、優れた少女小説は、形を変えて何度でもよみがえる。本書の執筆中にも、それを実感させてくれる出来事がありました。

まず二〇二〇年六月に、アメリカ映画「ストーリー・オブ・マイライフ　わたしの若草物語」（監督&脚本グレタ・ガーウィグ／製作エイミー・パスカル／二〇一九年）が公開されたことです。また同年九～一一月にはカナダ・CBCほか制作のテレビドラマ「アンという名の少女」（製作総指揮モイラ・ウォリー＝ベケット／二〇一七年）のシーズン1がNHK地上波で放送されました（Netflixでシーズン2・3まで配信）。

どちらも監督は女性で、非常に現代的な解釈がほどこされています。「ストーリー・オブ・マイライフ」では、大人になったジョーを中心に姉妹のアーティスト魂と職業意識が強調され、「アンという名の少女」では、過去の不幸な記憶から来るアンのPTSD（心的外傷後ストレス障害）や思春期の悩みが描かれるなど、原作から大きく離脱した大胆かつシリアスな改変が行われています。

翻訳少女小説がおもしろいのは、このように、世代も国境も超えて、世界中の女性が成長過程のどこかで同じ本を読んでおり、それが次の創作につながっていることです。

なぜ、いま再び少女小説なのか。

私の場合は、なぜあの手の作品に多くの女性が少女時代の一時期夢中になったのか、その理由を知りたいと思ったのがきっかけでした。家庭小説にカテゴライズされる少女小説には、もともと保守的な要素が多分に含まれています。「こんなものを読んでいるから女はダメなんだ」式の苦言を読んだり聞いたりしたこともあります。

さようですか、悪うござんしたね。半ば首肯し、半ば反発しながら、でもね、と考えたのです。世界中の女性を一〇〇年もの間魅了する物語が「女はおとなしく家に引っ込んでな」式の後進的かつ差別的な物語であるはずがない、と。現に『若草物語』も『あしながおじさん』も（この二作が特に私は好きでした）、そんなお話ではなかった。どこがどう響いたのか、なんらかの成長の糧にはなっている気がしたのです。

それで読み直してみると、やっぱりね、そうだよね、と思うところが多々ありました。半面、子どもの頃には気づかなかった発見もありました。

少女小説はたかだか小中学生、せいぜい高校生程度の少女のお話ですから、大風呂敷な主張はしません。天下国家も語らないし、命を賭した大冒険がくり広げられるわけでもありません。しかし主人公はみな不自由な環境の下に置かれ、ときには理不尽な現実に押し潰されながら、それでもひとりで考え、ひとりで立って、ひとりで戦っていた。

シンデレラ物語を脱構築する『小公女』
異性愛至上主義に抵抗する『若草物語』
出稼ぎ少女に希望を与える『ハイジ』
生存をかけた就活小説だった『赤毛のアン』
社会変革への意思を秘めた『あしながおじさん』
肉体労働を通じて少女が少年を救う『秘密の花園』
父母の抑圧をラストで破る『大草原の小さな家』シリーズ
正攻法の冒険小説だった『ふたりのロッテ』
世界一強い女の子の孤独を描いた『長くつ下のピッピ』

このように書き並べてみると、従来の少女小説のイメージは一変します。

少女小説は読者を挑発しているのです。子どもだからって、女だからって、あたしを見くびらないでよね。あんたも見くびられちゃダメよ、わかってる？　幾多のエピソードはそんな土台の上に乗っていて、ゆえに私たちは少女小説で憂さを晴らし、少女小説に逃避し、少女小説に励まされたのではなかったでしょうか。

彼女たちの共通点をもうひとつ探すと、みんな「旅する少女」「移動する少女」だったことです。『小公女』も『ハイジ』も『赤毛のアン』も『あしながおじさん』も『秘密の花園』も、主人公が見知らぬ土地に降り立つところからはじまる物語でした。『大草原の小さな家』シリーズの主人公は親の都合とはいえ北米大陸を大移動していますし、『ふたりのロッテ』は未知の半球に少女が飛び込む冒険譚、『長くつ下のピッピ』にいたっては世界中を旅してきた女の子のお話です。唯一、家庭の周辺にとどまっている『若草物語』のジョーも、続編では家を出てニューヨークに旅立ちます。

私たちが思っていた以上に、彼女たちは広い世界を知っている。家の中に閉じ込めるのとは逆の指向性が、そこからは読みとれます。

はたしてみんなはどう見ていたのか。私の周囲には読書家の女性が大勢いますが、彼女らに尋ねると、九冊全部とはいわないまでも、また好きな本は人によってちがっても、ほぼ一〇〇パーセントの確率で「読んだ読んだ、子どもの頃に熱中しました」と答えてくれました。一方、男性の友人知人に尋ねると、これまた一〇〇パーセントに近い確率で「一冊も読んだことがないです、ハハハ」という反応でした。

少年少女時代のこの読書傾向の差は何なのか。

狭い知見の中の話ですから例外はあるでしょうし、読書にジェンダーは関係ないという意見もあろうかと思いますが（現に『宝島』や『十五少年漂流記』や『トム・ソーヤーの冒険』のような少年文学は女の子でも読みます）、少女小説はやはり圧倒的に「女子の読み物」として認知され、消費されてきたのです。「女の本なんか俺には関係ないと思ってた」とはある男性の友人の発言ですが、まあそういうことでしょう。少女小説的な世界観がフィットする男の子だって、きっといたはずなのにね。残念だったね。

本書の種子というべきは、二〇年前に書いた少し長めの論考です（「少女小説の使用法」／「文學界」二〇〇一年六月号）。その後、月刊誌「ハルメク」でも少女小説についてのエッセイを連載させてもらいました（二〇一六年五月号〜一八年八月号）。本書で取り上げた九作品と引用したテキストの選定は、この連載時のチョイスをもとにしています（もっとも大幅に加筆したため、本書自体は書き下ろしに近い内容です）。

二〇〇一年に最初の論考を書いた時点ではまとまった少女小説論は少なかったのですが、その後多くの作品論が書かれ、作品の研究も進んでいます。機会があれば、ぜひ元の作品も読んで（読み直して）みてください。子どもの頃に読んだのはダイジェスト版だった可能性もあるので、新鮮な読書体験になるかもしれません。

「ハルメク」連載時は、古くからの友人で、後にフリーになられた矢部万紀子さん（『若草物語』フリーク）と同誌編集部の岡島文乃さん（『赤毛のアン』シリーズ及び『大草原の小さな家』シリーズ全巻読破）のお世話になりました。新書版の編集を担当してくださったのは河出書房新社の藤﨑寛之さん（「一冊も読んでません」組）です。両極端な編集者と仕事ができたことは私の大きな財産になりました。ありがとうございました。

二〇二一年五月五日（コロナ・パンデミック下の子どもの日）

斎藤美奈子

主な参考文献

全体を通して

J・R・タウンゼント『子どもの本の歴史　英語圏の児童文学　上』高杉一郎訳、岩波書店、一九八二
吉田新一編著『ジャンル・テーマ別英米児童文学』中教出版、一九八七
佐藤宏子『アメリカの家庭小説　十九世紀の女性作家たち』研究社、一九八七
日本児童文学学会編『児童文学事典』東京書籍、一九八八
ピーター・ハント『子どもの本の歴史　写真とイラストでたどる』さくまゆみこ・こだまともこ・福本友美子訳、柏書房、二〇〇一
シャーリー・フォスター&ジュディ・シモンズ『本を読む少女たち　ジョー、アン、メアリーの世界』川端有子訳、柏書房、二〇〇二
ひこ・田中『大人のための児童文学講座』徳間書店、二〇〇五
成瀬俊一編著『英米児童文学のベストセラー40　心に残る名作』ミネルヴァ書房、二〇〇九
川端有子『少女小説から世界が見える　ペリーヌはなぜ英語が話せたか』河出書房新社、二〇〇六
菅聡子編『〈少女小説〉ワンダーランド　明治から平成まで』明治書院、二〇〇八
『「若草物語」から「赤毛のアン」まで　もう一度読みたい少女小説の世界』双葉社、二〇一八

１『小公女』
フランシス・ホジソン・バーネット『バーネット自伝　わたしの一番よく知っている子ども』松下宏

子・三宅興子編訳、翰林書房、二〇一三
チャールズ・ディケンズ『オリヴァー・ツイスト』加賀山卓朗訳、新潮文庫、二〇一七

2『若草物語』
師岡愛子編『ルイザ・メイ・オルコット　『若草物語』への道』表現社、一九九五
ノーマ・ジョンストン『ルイザ　若草物語を生きたひと』谷口由美子訳、東洋書林、二〇〇七
高田賢一編著『もっと知りたい名作の世界①　若草物語』ミネルヴァ書房、二〇〇六
ルイザ・メイ・オルコット『続若草物語』吉田勝江訳、角川文庫、二〇〇八

3『ハイジ』
ちばかおり・川島隆『図説　アルプスの少女ハイジ　『ハイジ』でよみとく19世紀スイス』河出書房新社、二〇一三
森田安一『『ハイジ』が見たヨーロッパ』河出書房新社、二〇一九
松永美穂『１００分de名著　シュピリ　アルプスの少女ハイジ』ＮＨＫ出版、二〇一九

4『赤毛のアン』
桂宥子・白井澄子編著『もっと知りたい名作の世界⑩　赤毛のアン』ミネルヴァ書房、二〇〇八
奥田実紀『図説　赤毛のアン』河出書房新社、二〇一三
ルーシー・モード・モンゴメリ『ストーリー・オブ・マイ・キャリア　「赤毛のアン」が生まれるま

で』水谷利美訳、柏書房、二〇一九
横川寿美子『「赤毛のアン」の挑戦』宝島社、一九九四
小倉千加子『「赤毛のアン」の秘密』岩波書店、二〇〇四
菱田信彦『快読『赤毛のアン』』彩流社、二〇一四
チママンダ・ンゴズィ・アディーチェ『男も女もみんなフェミニストでなきゃ』くぼたのぞみ訳、河出書房新社、二〇一七
ロクサーヌ・ゲイ『バッド・フェミニスト』野中モモ訳、亜紀書房、二〇一七
ルーシー・モード・モンゴメリ『赤毛のアン』松本侑子訳、文春文庫、二〇一九
ルーシー・モード・モンゴメリ『アンの青春』村岡花子訳、新潮文庫、二〇〇八
ルーシー・モード・モンゴメリ『アンの愛情』村岡花子訳、新潮文庫、二〇〇八

5『あしながおじさん』
小野俊太郎『ピグマリオン・コンプレックス　プリティ・ウーマンの系譜』ありな書房、一九九七
ジーン・ウェブスター『続あしながおじさん』畔柳和代訳、新潮文庫、二〇一七

6『秘密の花園』
梨木香歩『『秘密の花園』ノート』岩波ブックレット、二〇一〇
ロイス・キース『クララは歩かなくてはいけないの？　少女小説にみる死と障害と治癒』藤田真利子訳、明石書店、二〇〇三

7『大草原の小さな家』シリーズ
ドナルド・ゾカート『ローラ・インガルス・ワイルダーの生涯』上下、いけもとさえこ訳、パシフィカ、一九七九
ウィリアム・T・アンダーソン『大草原の小さな家　ローラのふるさとを訪ねて』谷口由美子訳&構成、求龍堂、二〇一三
ローラ・インガルス・ワイルダー『大草原のローラ物語　パイオニア・ガール』パメラ・スミス・ヒル解説&注釈、谷口由美子訳、大修館書店、二〇一八
ちばかおり『大きな森の小さな家　大草原のローラと西部開拓史』新紀元社、二〇二一
高平鳴海『図解　フロンティア』新紀元社、二〇一四

8『ふたりのロッテ』
高橋健二『ケストナーの生涯　ドレースデンの抵抗作家』福武文庫、一九九二
スヴェン・ハヌシェク『エーリヒ・ケストナー　謎を秘めた啓蒙家の生涯』藤川芳朗訳、白水社、二〇一〇
ジョーゼフ・キャンベル『千の顔をもつ英雄』上下、倉田真木・斎藤静代・関根光宏訳、ハヤカワ・ノンフィクション文庫、二〇一五
ワジム・フロロフ『愛について』木村浩・新田道雄訳、岩波書店、一九七三
今江祥智『優しさごっこ〔新装版〕』理論社、二〇一二

9『長くつ下のピッピ』

三瓶恵子『ピッピの生みの親　アストリッド・リンドグレーン』岩波書店、一九九九
アストリッド・リンドグレーン『リンドグレーンの戦争日記　1939−1945』石井登志子訳、岩波書店、二〇一七
アストリッド・リンドグレーン『ピッピ船にのる』大塚勇三訳、岩波少年文庫、二〇〇〇
アストリッド・リンドグレーン『ピッピ南の島へ』大塚勇三訳、岩波少年文庫、二〇〇〇
ルーネル・ヨンソン『小さなバイキングビッケ』石渡利康訳、評論社、二〇一一

河出新書　033

挑発《ちょうはつ》する少女小説《しょうじょしょうせつ》

二〇二一年六月二〇日　初版印刷
二〇二一年六月三〇日　初版発行

著　者　斎藤美奈子《さいとうみなこ》
発行者　小野寺優
発行所　株式会社河出書房新社
〒一五一－〇〇五一　東京都渋谷区千駄ヶ谷二－三二－二
電話　〇三－三四〇四－一二〇一［営業］／〇三－三四〇四－八六一一［編集］
https://www.kawade.co.jp/
マーク　tupera tupera
装　幀　木庭貴信（オクターヴ）
印刷・製本　中央精版印刷株式会社

Printed in Japan　ISBN978-4-309-63134-9

アメリカ

橋爪大三郎　大澤真幸
Hashizume Daisaburo　Ohsawa Masachi

日本人はアメリカの何たるかを
まったく理解していない。
日本を代表するふたりの社会学者が語る、
日本人のためのアメリカ入門。
アメリカという不思議な存在。
そのひみつが、ほんとうにわかる。

ISBN978-4-309-63101-1

河出新書
001

歴史という教養

片山杜秀
Katayama Morihide

正解が見えない時代、
この国を滅ぼさないための
ほんとうの教養とは——?
ビジネスパーソンも、大学生も必読!
博覧強記の思想史家が説く、
これからの「温故知新」のすすめ。

ISBN978-4-309-63103-5

河出新書
003

一億三千万人のための『論語』教室

高橋源一郎
Takahashi Genichiro

『論語』はこんなに新しくて面白い！
タカハシさんによる省略なしの
完全訳が誕生。
社会の疑問から、人間関係の悩み、
「学ぶこと」の意味から「善と悪」まで。
あらゆる「問い」に孔子センセイが答えます！

ISBN978-4-309-63112-7

河出新書
012

「原っぱ」という社会がほしい

橋本 治
Hashimoto Osamu

「社会」の原点は、自分たちのルールでつくる
「原っぱ」にある。
未完に終わった橋本さんの論考「「近未来」としての平成」、
そのテキストに呼応する原稿を集めて1冊に。
橋本治、最後のメッセージにして、
これからの日本に贈る、感動の昭和・平成論！

ISBN978-4-309-63127-1

河出新書
025

一日一考　日本の政治

原 武史
Hara Takeshi

毎日ひとつ、366人の言葉から
この国の政治とは何かを考える。
政治家や研究者のみならず、
作家、宗教家、無名の庶民まで。
歴史の深い闇に埋もれた言葉の数々は、
私たちの日常を読み解く鍵となる。

ISBN978-4-309-63133-2

河出新書
032